De wezenlozen

Wytske Versteeg

DE WEZENLOZEN

2012 Prometheus Amsterdam

2 1. 05. 2012

Eerste druk maart 2012
Tweede druk april 2012

De fragmenten van Waiblinger op pagina 155 en 170 zijn ontleend aan *Hölderlins Leben, Dichtung und Wahnsinn*, 1830. Het fragment van Lucretius op pagina 181-182 is ontleend aan Aeg.W. Timmerman, *Lucretius. Over de natuur*, 1984.

Deze uitgave kwam tot stand door bemiddeling van Sebes & Van Gelderen Literair Agentschap te Amsterdam.

© 2012 Wytske Versteeg
Omslagontwerp Bloemendaal & Dekkers
Foto omslag Datha Thompson/Arcangel Images/Hollandse Hoogte
Foto auteur Casper van Tilburg
www.uitgeverijprometheus.nl
ISBN 978 90 446 2035 1

Wat wacht: onbeweeglijk en opgesloten. Drijvend in een duisternis die we bewonderen, omdat het donker transparant lijkt nu het opgesloten is in een aquarium. We drukken onze neus tegen het glas, deinzen dan ondanks onszelf toch terug. We giechelen uit ongemak, nemen een foto. We leggen de dreiging vast omdat vastleggen ons macht verleent, de illusie dat we hier later nog over kunnen vertellen. Maar als we de zaal verlaten zijn we iets verloren. We wankelen, bewegen ons tastend als blinden. Wat ons overeind houdt zijn de kinderen, het liefst de onze. Met onze ogen haken we ons vast aan hun beweeglijkheid, aan hoe ze zelfs hier nog hardop lachen en elk moment op het punt staan te gaan rennen, hoe de plechtige stilte die hier heerst geen vat op hen heeft, hoe ongedwongen zij vergeten wat wij wel moeten onthouden, wat er wacht.

Ismeen

Ik heb mijn zus vermoord, het was een ongeluk. Zoals moordenaars altijd zeggen. Het was niet zo bedoeld, ik heb het niet gewild, ik kon er niets aan doen. Ik heb haar weggaan, haar geleidelijk verdwijnen niet gestopt, misschien heb ik het zelfs nooit geprobeerd, zo gaat het als je zo graag iemands plaats wilt innemen.

Ze had mijn ogen, zeiden ze altijd. Wij waren het soort tweeling naar wie mensen op straat omkeken, vroeger. Als twee druppels water, zeiden ze, ongelofelijk zoals jullie op elkaar lijken, maar toen ik tegen het eind in haar pupillen keek, zag ik daar niets meer van mezelf.

Ze zeggen dat ik rustig aan moet doen, zelfs Van Helderen heeft in onhandige woorden zijn deelneming betuigd, condoleances aangeboden – ik denk dat hij zich voor mij geneert, alsof ik zelf bij de betogers hoor, votieven van mijn zusje aan de muur heb hangen. Het zou ook goed zijn voor mijn proefschrift als ik wat meer lucht had, zei hij, zich opgelucht op zakelijk, veiliger terrein begevend.

Peter noemde een aantal bed & breakfasts die korting gaven als iemand langer bleef. Op zijn aarzelende manier was hij bezorgd, probeerde zelfs een arm om mij heen te slaan: 'Je moet het zeggen als ik iets voor je kan doen, en wat dan. Als je zou willen dat ik naar je toe kom.'

Ik keek langs hem heen naar de koffieautomaat, die al weken defect was. Hij zei: 'Het is niet goed om nu alleen te zijn', liet zijn zin in de lucht hangen, hoopvol.

Ik kon niet tegen het idee van een vriendelijke omgeving, streepte de idyllische adressen in Drenthe en Limburg weg en koos voor een plek aan het strand omdat ik wist dat het daar nu troosteloos zou zijn, verlaten. Er stond geen foto bij, dat sprak me aan, en ook dat er op internet geen oordeel stond van onbekende anderen, dat ik kon doen alsof er nooit eerder iemand was geweest. Veel nam ik niet mee, mijn laptop, wat kleren, de stapel kranten die ik had verzameld. Sommige berichtjes maakten in niet meer dan één alinea melding van mijn zusje, andere, de latere, toonden haar gezicht groot op de voorpagina, haar uitgemergelde lijf. Haar huid verbrokkeld in vierkanten: foto's van stills. Dat was wat er van haar over was gebleven, een weekendtas vol kranten en wat echo's op internet.

Toen ik de deur achter me dichttrok wist ik dat ik niet terug zou komen, nooit meer op één plek zou kunnen blijven. Het mandje van de duif stond nog op tafel, mijn misplaatste zorgzaamheid. Toen ik die laatste dag in Gones ogen keek zag ik daar niets, een leegte, maar de rest van de wereld heeft iets in haar gevonden waar ik geen naam voor weet. Ze hebben het gevonden en ze hebben het genomen, ze hebben haar vertrapt in hun poging haar te redden. Dat ze zich van niemand ooit iets aantrok, in de talkshows noemden ze dat authenticiteit. Ze klonken bewonderend terwijl ze het woord uitspraken, en ook verlangend, het was vooral die authenticiteit die haar succes verklaarde, hoe anders ze was dan alle anderen, hoe uniek. Iedereen weet heel veel kleine dingen, feitjes over belastingformulieren, oorlogen en frequenties, over ledlampen, beroemdheden, postcodes en computers. Gone wist maar één groot ding en dat maakte haar anders, dat maakte alles uit. Die eenvoud, daarnaar verlangen ze en dat kan ik begrijpen, dat heb ik zelf lang genoeg gedaan. Maar zij snappen er niets van. Ze kunnen ook niet weten hoe het is om te leven met iemand die volkomen 'authentiek' is, maar die wel jouw gezicht heeft en jouw mond, jouw ogen en jouw lach. Ik heb mijn zus vermoord: ik heb haar dood gewild. Toch lukt het me soms, wanneer ik erg mijn best doe, te denken dat het allemaal de schuld is van die massa onbekenden die de villa heeft bestormd: hun schuld, niet de mijne. Hun verlangen, niet het mijne.

Zo rond een uur of één 's middags slaag ik er werkelijk in om dat te geloven, als de zon schijnt, maar als het donker wordt verandert alles weer, verdwijnt wat overdag zo helder leek, ben ik alleen. Om drie uur 's nachts is dat het ergste, als de ochtend er nog lang niet is, de nacht niet half voorbij, de uren eindeloos. De vitrage maakt schaduwen op het behang, een straatlamp schijnt naar binnen. Heel af en toe passeert er iemand, of iemand schreeuwt, ver weg op straat, en ik zou mijn hoofd uit het raam willen steken om zo'n eenzame vreemde aan te spreken, ik zou hem in dit bed willen uitnodigen, iemands lichaam naast het mijne willen voelen en samen lachen om iedereen die deze uren niet eens kent, maar het raam kan niet ver genoeg open, het klemt. En ook staat de verwarming hoog en kan niet lager, de knop is stuk, de lucht benauwd, de kamer ingericht met sombere, kille meubels. De eigenaresse verontschuldigde zich schouderophalend: 'Het lijkt design maar is het niet', alsof mij dat iets kon schelen, en vervolgde: 'Mijn man heeft het zo ingericht, het was zijn smaak.' Geweldig, dacht ik. Van de ene dode naar de andere. Maar het was goed om weg te gaan, naar een plek te gaan die vreemd is, waar het normaal is dat ik me niet thuis voel, waar dat door niemand wordt verwacht. Misschien is dit het vagevuur. Tussen de ene toestand en de andere doe ik boete terwijl ik wacht tot mijn zusje vergeten is, de wereld ruimte heeft gemaakt voor mij. De vrijheid wacht wel even.

Als ik naar buiten kijk kan ik de zee zien, de golven die komen en zich weer terugtrekken, de eigenaresse zei 'ik moet voortdurend ramen lappen, maar ik mag niet klagen'. Ze wringt haar handen als ze door de te donkere gang loopt, ze houdt zich aan zichzelf vast. De hele eerste dag lag ik op bed, luisterend naar het geruis van de zee. Het ei, de koffie en croissantjes die ze me gebracht had nam ik beleefd aan en vervolgens heb ik ze laten staan op het dienblad bij de deur. Ik heb Peter niet gebeld hoewel ik dat beloofd had ('Dat ik weet dat je veilig bent,' had hij gezegd, en daarom moest ik lachen), en ook heb ik de weekendtas niet uitgepakt. Alleen de krantenknipsels heb ik uitgespreid over de vloer, de foto's van Gone omgedraaid, haar gezicht naar de grond omdat ik er niet tegen kan als ze me aankijkt, zelfs niet op papier. Als kind al droomde ik dat mijn zus van de aardbodem zou verdwijnen, maar kinderen mogen dat denken, dat is heel normaal.

Ik heb mijn zusje zelf weggebracht naar de plaats waar ze beroemd zou worden en dood zou gaan, ik heb haar bij de hand genomen en geruststellend tegen haar gepraat, mijn eigen twijfels genegeerd. Ze zou gewoon bij hem blijven logeren, voor zolang het nodig was of zolang als het ging. Dat onderscheid leek onbelangrijk – we waren in afwachting van een veel groter moment, een andere ondergang, duidelijker gemarkeerd. Dood door ziekte, daar wachtten we op. Nogal angstig, want niemand wist hoe het verder moest als papa zou sterven, wat ons nog bij elkaar zou houden als de zwaartekracht uit ons gezin verdwenen was. Hoe we dóór zouden kunnen, want dat zeggen ze dan, je moet dóór zonder hem. Ik kon me daar geen voorstelling van maken.

Ook mijn vader kon dat niet, hij wist dat het er aankwam maar kon het toch niet geloven. Hij heeft geen afscheid genomen, niets veelbetekenends gezegd. Ik had gedacht dat doodgaan vol van waardigheid zou zijn, maar papa's laatste gezichtsuitdrukking was verbouwereerd, een klein beetje belachelijk. Alsof hij overvallen was, of ergens door verrast, en ook leek hij jonger en minder bezorgd dan ik hem heb gekend. Hij deed me denken aan een verschrompeld kind, zo klein tussen de lakens – zijn gezicht niet meer van hem, alleen nog het idee van een gezicht. Ik zou wel willen weten wat hij in zijn laatste moment gezien heeft. Ik zoek niet naar die tunnel van wit licht maar naar dat andere cliché, dat als je sterft je leven zich voor je ogen afspeelt, ik vraag me af wat hij gezien heeft, wie de hoofdrol speelde in die film.

In zijn laatste dagen zat ik vaak in de stoel naast zijn bed. Clarissa en ik verdeelden de tijd, Gone was weg en bleef sowieso buiten beschouwing als het om taakverdelingen ging. Toch was ze voortdurend aanwezig, want steeds weer zocht hij naast en achter ons, keek hij door ons heen naar haar, die er niet was. 'Gaat het met haar?' vroeg hij steeds, 'hoe gaat het nu?', en wij lachten dan maar wat, alles ging goed. Plichtsgetrouw draaiden we onze ploegendienst, doodsbang dat hij er onopgemerkt vandoor zou gaan. Maar haar brachten we niet naar hem terug, ook niet voor even – dit keer moest hij het met ons doen.

Na mijn eindexamen had hij me meegenomen naar Wenen, 'om je iets te laten zien'. Hoe ik ook aandrong, hij weigerde te zeggen wat, 'het is een verrassing'. Ik had me erop verheugd, was vereerd geweest door zijn voorstel – het gebeurde niet vaak dat hij Gone thuis achterliet – en lette erop dat ik niet te veel lachte, maar ook niet te weinig; dat ik wel praatte, maar niet babbelde. Voortdurend keek ik naar zijn gezicht om te zien of ik de juiste grappen maakte. In het kunsthistorisch museum leidde hij me naar een ivoren beeldje van een oude vrouw, één magere arm opgeheven als een legerleider die de troepen aanvoert. Haar mond was opengesperd in een hysterische schreeuw, angstaanjagender doordat we haar niet konden horen. Haar kleren wapperden achter haar aan, haar verschrompelde borsten bungelden als slappe theezakjes. Ze was niet groot.

'Kijk,' had papa toen gezegd, 'dat gebeurt er als je ouder wordt. Zo ben jij later ook.'

Nu zat ik naast zijn bed, wachtte de tijd af en keek naar wat er van mijn vader was overgebleven. Het kunstlicht maakte schaduwen op zijn ingevallen wangen, het bed waarin hij lag maakte hem klein. Zijn hele lichaam straalde hunkering uit, de fysieke behoefte om door iemand te worden vastgehouden, maar toen ik hem onhandig probeerde te omhelzen, keek hij me zo vernietigend aan dat ik een stap achteruit deed. Misschien was het alleen mijn eigen wens te worden vastgehouden; mijn wens om daarvoor klein genoeg, genoeg zijn kind te zijn. Aan de muur hing de klok die Clarissa voor hem van huis had meegenomen, zodat op deze vreemde plek nu het geluid van thuis klonk. Niet eerder had ik mijn vader zo kwetsbaar gezien, nooit had ik zo op mijn gemak naar hem kunnen kijken. Zelfs het raspende geluid van zijn adem was intiem. De kamer vormde een kom om ons heen, het gedempte licht wierp schaduwen op de wollen deken die over zijn benen lag – hij had het vaak koud, die laatste dagen. Alleen zijn ziekte maakte het mogelijk om zo dichtbij te komen. Nu kon ik bij zijn lichaam zitten, nu het al niet meer van hem was, nu hij niet meer in staat was om ongeduldig weg te lopen. Nu zouden we bijna kunnen praten. Ik dacht steeds: als hij zijn ogen opent vraag ik het, wanneer hij naar me toe rolt begin ik het gesprek. Waar heb je haar gelaten, wie ze was, wie ze zou worden? Waar moet ze nu naartoe, wanneer – niet als – *wanneer* je doodgaat, binnenkort, wat had je dan verwacht? Ik zou mijn vragen niet als vragen stellen, de woorden zou ik uitspreken zonder leestekens en ik zou ervoor zorgen dat ik er nog een grapje van kon maken, zodat ik altijd nog zou kunnen doen alsof mijn uitbarsting maar ironie was. Dat was de taal die wij met elkaar spraken, nogal Engels van stijl; met veel woorden nietszeggend. Heel vaak heb ik op het punt gestaan om het te vragen, ik schoof al wat naar voren op mijn stoel, maar ik vond niet de nonchalance die ik nodig had en hij deed zijn ogen niet open, hij rolde nooit naar me toe.

Ik heb de talkshows gezien, de psychologen horen praten. Ze spraken van ontwikkelings- en hechtingsstoornissen, ze noemden het een symbiotische relatie en vroegen zich af wat mijn rol was, ze zeiden 'bij een tweeling zou je een sterkere gerichtheid op elkaar hebben verwacht', ze knikten gewichtig. Ze klonken zo zelfverzekerd, er zo van overtuigd dat zij haar wel hadden gered. Misschien hebben ze gelijk.

Ze dachten dat ze Gone zagen, maar in wezen kenden ze alleen maar George' verhaal: dat Gone met eten was gestopt in een kinderlijk heroïsche poging haar vader te redden van de dood. Natuurlijk wist iedereen behalve Gone, en misschien zelfs zij ook, dat het een hopeloze onderneming was. Toch bleven ze allemaal kijken en hopen omdat het in films toch ook vlak voor het einde altijd nog goed komt met kinderen en helden, en ook omdat het nodig was om ergens op te hopen terwijl de beurskoersen maar bleven dalen en overal rampen werden voorspeld. George heeft het slim gespeeld, wist al vanaf het begin wat nodig zou zijn om de aandacht te trekken; een kind, een maagd, een offerdier, de onschuld zelf. En dan, na al die tijd, zijn oproep om Gone te komen redden van de hongerdood. De camera's zoomden in op haar trillende wimpers en iedereen had het steeds maar over haar ogen, over hoeveel die ogen zeiden terwijl ze zelf niet kon praten. Toen ik haar voor het laatst zag leek ze inderdaad alleen nog maar uit ogen te bestaan, twee veel te grote ogen en een glasachtig lichaam, en ik heb echt geprobeerd om iets te lezen in die ogen, iets te voelen van het lijf dat vroeger deel was van het mijne, maar dat nu mager was en vreemd. Het kon niet allemaal verdwenen zijn, de kinderen die we samen waren, mijn zus, mijn spiegelbeeld. Maar toen ik naast haar zat kon ik niets zeggen en in plaats daarvan dacht ik aan alle feiten die ik had gelezen. Een hongerstaking kan volgens de literatuur zo'n tweeënveertig tot negenenzeventig dagen worden volgehouden, maar de meeste sterfgevallen treden op lang vóór die tachtigdagengrens. Het lichaam slaagt er simpelweg niet in zich aan te passen. De spierkracht vermindert al snel aanmerkelijk en apathie treedt op bij meer dan twintig procent gewichtsverlies. Extreme vermoeidheid veroorzaakt psychische labiliteit en moeilijkheden bij het formuleren – van dat laatste zou mijn zusje in ieder geval geen last hebben. De terminale fase wordt gekenmerkt door stemmingswisselingen en verwardheid, waarna een coma en de dood zeer snel kunnen volgen. De neutrale medische taal was geruststellend; decubitus, ataxie, dysartrie en icterus boden een manier om deze situatie, dit gebeuren te begrijpen. Ze hielpen me vergeten dat ik als twee druppels water leek op het skeletachtige lichaam dat naast me lag, maar ze deden niets om de stilte te doorbreken die tastbaar tussen ons in stond. Mijn hand streelde mechanisch de haren van mijn zusje, die nu dor aanvoelden en tussen mijn vingers braken. Niets was hier echt en zelf speelde ik ook maar een rol, me voortdurend bewust van de camera's die ons bekeken. Het is bijna altijd het hart dat het plotseling opgeeft. Gone kon alleen nog liggen en ten slotte ging ik voor haar op de grond liggen om haar recht te kunnen aankijken. Ze tilde één hand op, schoof haar vingers langzaam naar mij toe – in de hoek hoorde ik een camera bewegen om ons beeld beter te vangen. George keek naar ons vanuit de kelder, richtte het glazen oog op ons terwijl hij zelf onzichtbaar bleef. Spreken is zilver, zeggen ze, en zwijgen is goud, maar wie dat zegt heeft nooit gehoord hoe mijn zusje kon zwijgen, hoe dwingend zij niets kon zeggen, omdat dat was waar ze zich aan had gewijd, aan het niets, het niet zijn. Ik probeerde iets te zeggen om haar stilte te verbreken, maar je kunt niet schreeuwen tegen iemand die ervoor heeft gekozen te verdwijnen, en uiteindelijk gaf ik het op. Dit zouden op internet de populairste beelden worden: hoe Gone contact met mij zocht, hoe haar vinger centimeter voor centimeter naar mij toe bewoog en hoe ik het toen liet afweten door niet te antwoorden, van haar wegkeek en uiteindelijk de kamer verliet zonder nog een keer om te kijken.

Maar een halve tweeling is nu eenmaal geen heel mens, zo simpel is het. Toen ze ziek werd, we waren zes jaar oud toen, droomde ik vaak dat Gone verdwaald was in zo'n labyrint waar papa ons over verteld had: de donkere, vochtige stenen, de lucht die koud langs mijn huid streek, de draad die ik wel of juist niet achter mij aan had uitgerold om de weg terug naar huis te vinden. Het paniekerige besef dat we hier tot in de eeuwigheid konden blijven lopen zonder elkaar ooit te vinden, en af en toe, diep in het doolhof, het brullen van een beest dat altijd onzichtbaar bleef. Gone zelf was nooit te horen, maar ik wist, voelde dat ze er was, ergens tussen deze koude muren, misschien niet ver van mij. Dus liep ik door zonder haar ooit te vinden, in het zieke licht van een te bleke maan, roepend tot ik net als zij geen stem meer had. Doodmoe was ik wanneer ik na zo'n droom 's ochtends wakker werd, alsof ik echt de hele nacht gelopen had. Mijn moeder maakte zich zorgen toen ik haar erover vertelde, dacht dat ik me de ziekte van mijn zusje te veel aantrok: ik kon haar erover horen kibbelen met papa, die haar geruststelde. Maar ze had gelijk: Gone en ik waren altijd al met elkaar verbonden geweest en achteraf denk ik dat mijn dromen het resultaat waren van de alarmsignalen die mijn zusje wel moest uitzenden nu ze zo ziek was. Nu nog steeds droom ik – wanneer het me eindelijk lukt om in slaap te vallen – over het labyrint. Haast elke nacht red ik mijn zusje, in mijn dromen wel, maar vlak voordat ik wakker word verdwijnt haar gezicht, lost het op in een vormeloze, grauwe veeg.

Misschien waren mijn dromen alleen maar een omkering van hoe het echt zat, een schrale compensatie voor de wereld overdag. In werkelijkheid was Gone de bijdehandste van ons tweeën en als iemand een ander redden moest, zou zij die taak wel op zich nemen. De leraren en kinderen op school, de vriendinnen en broers van mijn moeder duidden ons vroeger simpelweg aan als 'de tweeling'. Ze zagen ons altijd in enkelvoud: we hadden weliswaar twee lichamen, maar niet meer dan één ziel. Die ziel was Gone. Ik kon haar nadoen maar niet vóór zijn, kon haar spreekbuis zijn maar had geen eigen stem. Ik ben zo'n type waar toeristen op afstappen om de weg te vragen of om een camera in de handen te drukken, omdat ze aan mijn gezicht al kunnen zien dat ik er nooit met het ding vandoor zou gaan. En altijd als ik braaf de foto maak denk ik eraan wat Gone in zo'n geval zou doen, als alles anders was gegaan, hoe ze plotseling een sprint zou trekken, de toeristen schreeuwend achter haar aan. Schaterlachend zou ze zichzelf fotograferen, of anders wel een steen, een takje of een vogel, en dan zou ik op veilige afstand achter haar aan kunnen lopen en toekijken, bewonderend.

Zij bepaalde hoe we onze dagen indeelden, wat de regels waren van de spelletjes die we speelden en hoe we de rollen verdeelden.

Zij was de cowboy en ik de indiaan die aan de boom werd vastgebonden; zij was de verpleegster en ik de patiënt in wie werd gepord; zij was de lerares en ik het kind dat moest luisteren. Op de een of andere manier deden we altijd de hele middag wat zij had bedacht, maar dat was niet erg – ze had ook de meeste fantasie. Achter in onze tuin stond een houten tweepersoonsschommel. Inmiddels zijn wij veel te groot, de touwen vergaan en de planken verrot, maar vroeger gingen we vaak schommelen wanneer we iets te overdenken hadden, zoals we dat gewichtig noemden. Altijd was het Gone die als eerste van de schommel afsprong met een geschikte zin, 'kaneelbroodjes zijn niet voor maandagen', 'je bent zo stil als een pakje appelsap' of 'God is de hond van meneer De Vries', iets wat grappig was, maar niet zo bedacht klonk als de meeste van mijn suggesties. Gone was in staat papa's bewegingen wat minder star te maken, iets minder bevroren; ze wist altijd wel iets om hem te redden uit de kleurloze, koude vlaktes waarin hij zonder ons dreigde te verdwalen.

Het was ook Gone die ermee begon Clarissa te imiteren, die erop toezag dat we net zo lang op onze kamer oefenden tot we haar overtuigend en exact simultaan konden nadoen en die ermee doorging tot papa slap van het lachen over tafel lag en Clarissa haar bestek neergooide en de kamer verliet. 's Avonds hoorden we haar schreeuwen, maar papa's stem klonk sussend. 'Het is toch origineel,' zei hij, 'het is toch heel bijzonder', en langzaam werd Clarissa's stem leger, uitgeput eerder dan berustend. Gone, die boven aan de trap had staan afluisteren, ging naar beneden om een glas water te vragen en kwam zachtjes neuriënd terug. Even later kwam papa binnen om haar nog een keer in te stoppen. Ik lag onder de dekens en kruiste mijn vingers, maar hij keek niet naar mij.

In de zomervakantie sprong ze van een muur en brak een arm, ze zei tegen papa 'ik wilde zien of ik kon vliegen', en hij omhelsde haar ontroerd, onhandig om die gegipste arm heen. Ik had geen medelijden toen de huid onder haar gips ging jeuken.

'Bedenk een ijsje voor me,' zou ze 's avonds vragen, terwijl ze zich om en om rolde in bed omdat ze wilde krabben maar nergens bij kon, 'bedenk een ijsje met acht smaken.'

Vanille, dacht ik, stracciatellachocoladeaardbeienpistachewalnotenbosvruchtenyoghurtperzik, maar ik zei: 'Rode mierenkolonie. Muggenbult. Nagel op een schoolbord.' Aan de manier waarop ze slikte kon ik horen dat ze bijna ging huilen, maar ze slikte nog eens en nog eens en huilde niet, of niet hoorbaar – je ogen heel wijd opensperren hielp als je niet wilde huilen, dat had ze mij ook geleerd. In het donker stelde ik me de contouren voor van haar lijf in het bed tegenover me, haar armen gekruist onder het laken, haar hoofd naar de muur gedraaid – precies zoals ik zelf lag.

'Had je die arm maar niet moeten breken,' zei ik.

Ze moest, denk ik nu, steeds een stap verder gaan om zichtbaar te blijven. Korte tijd later stopte ze met eten. Het begon tijdens het ontbijt, het was zomervakantie. Gone sneed haar boterham in tweeën, toen in vieren, in acht, in zestien stukjes. 'Speel niet met je eten,' zei Clarissa waarschuwend, maar Gone negeerde haar. Ze keek over de tafel naar mij, controleerde of ik wel zag wat ze deed. Na een halve boterham, acht dobbelsteentjes, schoof Gone haar bord opzij en zei dat ze genoeg had gehad. Ik deed hetzelfde. Clarissa klemde haar lippen op elkaar, ruimde de borden af en zette ze met een klap op het aanrecht. Ze zei niets. Bij de lunch gebeurde hetzelfde en bij het avondeten at Gone de helft van haar karbonade, niet meer dan de helft van haar aardappels, driekwart van haar spinazie. Ik lette op hoeveel ze nam en zorgde ervoor dat ik geen kruimel meer binnenkreeg dan zij. De dag daarna at Gone een kwart van haar eten. De dag daarna niet meer dan een achtste.

Ik had zo veel honger dat ik niet kon slapen. Mijn maag had zich opgerold tot een steeds harder wordende knoop en ik kon alleen nog maar denken aan eten. Clarissa zette ons frietjes voor, braadde kip in de oven, bakte taarten, maakte alles waarvan ze dacht dat het ons zou kunnen verleiden om weer te gaan eten, beraamde een strategie van geuren en lievelingsgerechten om onze staking te breken. Gone controleerde de zakken van mijn kleren, mijn ladekastje, ze keek zelfs onder mijn bed om te zien of ik niet stiekem at. Toch was het Clarissa die magerder werd en ons smeekte te stoppen. Gone keek haar alleen met grote ogen aan en vroeg schijnheilig: 'Waarmee?'

'Dat weet je best.'

'Waarmee moeten we stoppen?'

'Je gaat niet van tafel voordat je bord leeg is.'

Maar de volgende dag zei papa dat ze ons met rust moest laten, dat ze te bezorgd was en bezitterig, hij zei: 'Wat echt belangrijk is, is voedsel voor de geest.'

Clarissa's stoel maakte een schrapend geluid over de vloer toen ze hem naar achteren schoof en wegliep. Het servet viel van haar schoot op de grond.

Die avond gingen we boven aan de trap zitten toen we hoorden dat ze ruzieden, Clarissa's overslaande stem: 'Jij ziet ook nooit iets.'

'Claartje, het is een groeiproces. Ze moeten het zelf ontdekken.' Papa's stem klonk flemend.

'Een groeiproces? Op deze manier groeien ze helemaal niet meer. We mogen blij zijn als ze hun zesde verjaardag nog halen, als je hen zo door laat gaan.'

'Het zijn verstandige meisjes.'

'Ismeen, ja. Die is verstandig. Maar Gone?'

'Gone wordt een krachtige persoonlijkheid.'

Ik keek naar mijn zus. Haar rode haren stonden wijd uiteen langs haar gezicht, alsof iemand geprobeerd had haar te elektrocuteren. Ze had haar knieën opgetrokken en haar armen daaromheen geslagen, ze leek intens tevreden. Af en toe zag ik iets in haar wat mij bang maakte.

'Het is waanzin, Siegfried,' zei Clarissa. 'Ze is niet zoals een kind van die leeftijd hoort te zijn.'

'Je bent geobsedeerd. Gone is vijf en ze heeft kuren, precies zoals het hoort.'

'Ze is bezeten en ze wil dat jíj dat ziet en haar komt redden. Mij noemen ze zelfs geen mama. Dat jij er iets aan doet, dat willen ze, dat jij er iets van vindt, hun vader.'

'Wat weten wij ervan? Misschien vasten ze wel. Misschien is het een ritueel, iets ingewikkelds, iets oprechts dat wij vergeten zijn. Wat weten wij van wat kinderen kunnen bedenken, wat weten wij nu helemaal?'

Lange tijd bleef het stil. Daarna hoorden we het geluid van iets wat met een klap op de grond viel, toen de voordeur die dichtsloeg. Wij slopen terug naar ons bed – een ongewoon vroege aftocht voor Gone, die eraan hechtte op de hoogte te zijn van de verhoudingen, te weten wie er won en wie verloor. Dat ik haar op een dag niet meer zou kunnen volgen, dat idee maakte me bang. Soms zag ik nog hoe ze zich zomaar van die muur had gestort, zonder te aarzelen en zonder te kijken, terwijl ik verstijfd van angst op de grond stond en zei dat het gevaarlijk was. Ze had niet eens geprobeerd haar val te dempen, en eigenlijk wist ik toen al dat zij vroeg of laat iets zou bedenken wat ik echt niet zou durven, ook niet met mijn ogen dicht en met gekruiste vingers. Ook niet als ik het heel graag wilde.

Om de zoveel uur blijft Peter me berichten sturen, kleine elektronische erkenningen van mijn bestaan. Juist om die warmte en zijn troost kan ik hem niet verdragen; in zijn ogen ben ik een ander, iemand die ik niet werkelijk kan zijn en vroeg of laat zal hij dat merken. Ik geloof graag in zijn versie van mij, die afgerond is en veel zachter, maar dan weer word ik afgeschrikt door al het geloof, de hoop, de liefde in zijn ogen, al het gewicht daarvan. Zelfs op het laatste, belangrijkste moment koos ik verkeerd, koos ik voor een dier dat niets aan mij zou vragen, boog me over een duif terwijl mijn vader doodging. Dat magisch denken was een keuze, geen vergissing zoals Peter het zou noemen, ook geen vlaag van verstandsverbijstering, zoals – zeggen de psychologen op tv – toch heel normaal zou zijn in een zo zware tijd. Ik had er moeten zijn, ik was er niet – maar wat had ik moeten zeggen, kunnen doen?

Om door te gaan, zeggen ze, moet je loslaten. Dat heb ik toen geprobeerd, terwijl iedereen zich aan mijn zusje vastklampte, dat nog steeds doet.

Ze worden aangetrokken door Gones ondoordringbaarheid, 'haar zwijgende liefde en haar lichtende aanwezigheid', zoals ze het op televisie noemden, 'ook nu ze niet meer onder ons is'. Zelfs op de boulevard heb ik kaarsen zien branden bij haar portret. Volgens de billboards is de Dag des Oordeels dichtbij, ze zeggen dat we onszelf moeten redden nu het nog kan. Maar buiten staan de mensen zwijgend met mijn zusjes poster in hun handen, kussen haar papieren voorhoofd. Ze zijn blij iets te kunnen vasthouden terwijl alles zijn waarde verliest en verdwijnt, en nu al het dure gepraat nog leger blijkt dan ze vroeger al dachten zijn ze blij met iemand die altijd al weigerde te praten. In katholieke kring gaan er stemmen op om haar heilig te laten verklaren, de eerste wonderen zijn al gemeld. Ze was ziek, wil ik zeggen. Het was een afwijking, een zeldzame vorm van epilepsie. Wat weten ze van haar, hoe durven ze te doen of ze haar kennen, hebben gekend. Maar wat weet ik van haar.

Als kind begreep ik niets van Gones ziekte. Ik heb lang gedacht dat het een truc was, dat ze maar deed alsof. Het leek niet op een echte ziekte, zo eentje waarvoor je met een kruik in bed gestopt werd en die na een paar dagen overging en waaraan we altijd tegelijkertijd leden. Dit ging over Gone alleen en het was onvoorstelbaar dat uitgerekend zij haar woorden zou verliezen, zoals oudere mensen hun plas; onvoorstelbaar dat ik zelf nog wel kon praten, terwijl mijn zusje steeds meer op een baby ging lijken. Vanaf ons zesde, toen ze ziek werd, tot zeker mijn tiende jaar heb ik gehoopt dat er een reden was, een plan dat ze ons later lachend zou ontvouwen.

Natuurlijk gebeurde dat nooit.

Maar ik bleef erop wachten, dacht dat Gone me alleen maar buitensloot omdat ze het niet meer de moeite waard vond haar geheimen met mij te delen, dat ze nog boos was omdat ik gestopt was met onze hongerstaking op de ochtend nadat we die ruzie hadden afgeluisterd (een boterham met oude kaas was het eerste wat ik at, terwijl Gone me over de tafel woedend aankeek; nooit heb ik iets lekkerders geproefd). Omdat ik mijn zusje kende dacht ik dat ik een inwijding, een proef zou moeten ondergaan om haar vertrouwen weer te winnen. Heel even stopte ik zelf met praten, maar ze leek mijn demonstratieve zwijgen niet eens op te merken. Terecht, want nog dezelfde dag stuitte ik op een of ander feitje dat ik uit een boek had opgepikt en aan Clarissa moest vertellen, nog voordat ook maar iemand had gezegd dat ik zo stil was. Gone bestudeerde me, zoals ik tegen het aanrecht leunde en ijverig tegen Clarissa babbelde, keek naar me alsof ik een insect was. Een seconde later dacht ik dat ik jaloezie zag in haar ogen, want zo was het toen ze niet meer praatte. Altijd dacht je iets te zien wat vlak daarna weer was verdwenen, en door die plotselinge verdwijning ging je eraan twijfelen of het er ooit echt wel was geweest, of dat je je alles had verbeeld. Nog een seconde later twijfelde je ook daaraan.

Een syndroom, zo noemen ze het. Een moderne samenstelling van 'sun' en 'dramein': samen rennen (als papa me iets geleerd heeft is het altijd te zoeken naar de oorsprong van woorden, het thuisbrengen van taal. Ik deed het als kind al en nog, zij het niet zo dwangmatig als hij). Dat 'samen rennen' slaat op symptomen die samen verschijnen, maar altijd als ik denk aan die betekenis zie ik Gone en mij over het gras hollen. Het is geen herinnering, want ik kan mezelf zien, in een jurk die mijn praktische moeder nooit voor me zou hebben gekocht, zo'n kledingstuk dat meisjes alleen in reclames dragen en in de damesbladen, zo'n wit geval dat licht en wijd is en – zou mijn moeder zeggen – niet langer dan twee minuten wit blijft. Gone draagt hetzelfde en we zijn zes jaar oud, rennen samen over het grasveld en de zon schijnt, het is zomer en natuurlijk gaat het erom wie de snelste is, we zijn tenslotte kinderen en hebben alle tijd. De dauw op het gras is van goud en koel aan onze blote voeten en als in een droom lukt het mij niet om vooruit te komen, hoe hard ik ook mijn best doe. Ook Gone blijft steeds naast me, hoewel ze natuurlijk wel probeert van me te winnen. Haar gezicht is vertrokken van inspanning en ik kan horen hoe ze hijgt, ik hoor het geluid van haar rennende voeten, ze lacht. En plotseling ren ik alleen. Ik kijk naast me: er is niemand. Ik kijk voor me: ik zie niets. Achter me kijk ik niet.

Ik kijk niet achter me omdat ik weet wat er met Orpheus en Eurydice gebeurde. Wij kenden Orpheus en Eurydice eerder dan Nijntje, eerder dan de figuren van Sesamstraat, die papa infantiel vond. Wij kenden De Snorkels en De Smurfen niet, en zelfs Donald Duck of Mickey Mouse waren maar namen die ik af en toe op school hoorde, verhalen die ik niet begreep. We kenden de cartoons niet waarin alles altijd weer goed komt en ook de geruststellende kinderboeken vond mijn vader ongeschikt en laf. Onze kinderkamer werd bevolkt door Griekse goden en door helden, al dan niet gruwelijk gewond. Als het donker was zag ik ze over de muren van onze kamer marcheren, met wapenrusting en al. Orpheus' tocht naar de onderwereld zouden we kunnen uittekenen. Hoe hij niet mag omkijken naar zijn geliefde Eurydice, haar niet mag zien, terwijl ze niet dood is maar ook nog niet echt leeft. Misschien mag hij niet achterom kijken omdat de dood dan aan haar zou blijven kleven, aan haar levende gestalte, haar ademende lijf. Maar wat weet Orpheus – mooi, geliefd, gewend zijn zin te krijgen – van de dood? Het is zo lang geleden. Het lijkt een eeuwigheid sinds hij haar heeft gezien, ze zijn er bijna en wat kan er gebeuren, nu nog, nu hij haar al teruggekregen heeft en bijna vast kan houden. En hij kijkt om.

Eurydice en Gone verdwijnen onherroepelijk. Ze komen nooit meer terug, een rotsachtig, onverbiddelijk nooit in hoofdletters – het soort nooit dat voor ons onbegrijpelijk is, verpest als we zijn door het goedkope geluk uit de Hollywoodfilms, zou mijn vader mopperen.

Papa vertelde graag dat er voor Orpheus geen happy end was.

'De man smeekte en ging op zijn knieën, hij rukte zijn hart uit zijn lijf, zijn haren uit zijn hoofd. Hij schreeuwde. Hij schreeuwde tot hij niet meer zingen kon en toen pas zong hij, zoals hij nog nooit eerder had gezongen, en hij hoopte. Hij was ervan overtuigd dat de goden hem weer zouden helpen. Ze hielden van hem, ze hadden haar toch aan hem teruggegeven, waarom hem straffen voor zo'n kleinigheid? Hij schreeuwde: "Het was onbelangrijk!" Hij schreeuwde: "Ik heb sorry. Ik ben spijt!"'

Op dat punt giechelden wij en ik moest hem natuurlijk corrigeren: 'Dat kun je niet zo zeggen, dat is fout.'

Papa keek me aan alsof ik iets heel doms gezegd had, een beetje droevig. Hij zei: 'Het was zoals ik het zeg. Hij had geen spijt, hij was spijt. Maar dat deed de goden niets. Het doet de goden nooit iets. Ze zijn grillig, wispelturig, onbetrouwbaar en bovendien: het was zijn eigen schuld. Er antwoordde niemand. Er veranderde niets. Ze was dood en ze bleef dood, en hij leefde. Niet gelukkig, maar hij leefde en daar moest hij het mee doen. En nu gaan jullie slapen.'

Hij gaf ons een zoen op ons voorhoofd en liep de kamer uit terwijl wij hem nariepen: 'Niet omkijken! Niet achterom kijken, papa!'

Hij keek nooit om, maar ondanks ons geschreeuw hoopte ik elke avond dat hij dat wel zou doen. Ik wilde een knipoog, een gebaar – een teken dat het verhaal stiekem net zo'n gelukkig einde had als de films die Clarissa ons soms liet zien wanneer hij er niet was. Hij was onze vader en almachtig en als hij wilde moest hij Eurydice toch kunnen redden. Maar altijd was er alleen de zachte klik van de deur, zijn voetstappen die zich van ons verwijderden, het donker om ons heen.

Soms, als we niet konden slapen, telden we. 'Eén,' zei zij dan, en ik 'twee', zij 'drie', en zo telden we verder, zodat we konden horen dat de ander nog bestond. Ik kan me niet herinneren dat ik ooit op Gones tel heb moeten wachten, maar nu pas vraag ik me af hoe dat voor haar was, hoe vaak zij in het donker op mij heeft liggen wachten, gevraagd heeft: 'Slaap je al?'

Tegenwoordig durf ik mijn ogen niet meer dicht te doen. Als ik probeer te slapen zie ik papa's dode lichaam voor me, zijn verstarde glimlach. De ogen van mijn zusje. Hoe ze verdwenen zijn, niet meer zichzelf, zo duidelijk niet meer van ons. Ik ben bang om te dromen. Ik ben bang dat ze me roepen vanuit dat schimmige nevellandschap waar de doden geacht worden rond te dwalen, bang dat ik antwoord en niet meer wakker word. Ik hoor niet meer thuis bij de levenden. Ik ga door met ademen omdat mijn lichaam me daartoe dwingt, omdat het mijn lijf niets kan schelen dat ik niet meer wil, omdat het drinken eist en af en toe wat slaap en omdat het uiteindelijk ook weer zal willen eten. En ik gehoorzaam, onwillig, ga vroeger of later op die eisen in, geef toe omdat ik bang ben dat de doden me ook niet zullen verwelkomen.

Als mensen zich nu afvragen waarom niemand iets heeft opgemerkt, waarom er niet eerder ingegrepen is – er zijn al onderzoeken ingesteld, het functioneren van de jeugdzorg staat opnieuw op de agenda –, dan is het antwoord dat mijn zusje al zo lang geleden een vreemde was geworden. Op een gegeven moment went zoiets: we verwachtten van haar dat ze extreem was, op haar eigen, woordloze manier altijd onbegrijpelijk. De psychologen op tv, de kijkers thuis kregen maar niet genoeg van alle interpretaties, alle pretenties dat Gones gevoelens vertaalbaar waren naar iets wat wij konden begrijpen, maar voor hen was het nog nieuw. Na jaren gaat zoiets vervelen.

Ik ben gaan studeren om mijn zusje te verlaten. Zo simpel was het: ik hoefde alleen een formuliertje in te vullen. In blokletters. Op de dag dat de papieren binnenkwamen pakte mijn zus een vulpen voor me en keek toe hoe ik aan de eetkamertafel ging zitten. De pen die zij me had gegeven vlekte verschrikkelijk en ze glimlachte toen ze dat zag, onmerkbaar voor wie haar niet kende, maar niet voor mij, die tenslotte over exact dezelfde gezichtsspieren beschikte. Ik pakte een nieuwe pen, vulde de vragen één voor één in.

Het was mijn recht de wereld te betreden – bij studeren stelde ik me toen iets voor met rood fluweel en kringelende rook, wijd uitwaaierende rokken met polkadots, en meer van dat soort dingen die ik nooit zou durven dragen, nooit alleen zou durven doen. Nu zou ik me dan eindelijk zo ver mogelijk van Gone verwijderen. We hadden samen bijna gelijktijdig een baarmoeder verlaten, en in de jaren daarna hadden we één huid en één huis gedeeld waarin de scheuren steeds duidelijker zichtbaar werden. Ik kon mijn zusje niet meer aankijken. Ze was een freak die onbegrijpelijke geluiden uitstootte. Als ze kwaad was trok ze haar eigen haren uit, bonkte uren met haar hoofd tegen de muur. Ons huis was te klein voor zo veel geweld, voor iemand die nooit meer zou veranderen, maar natuurlijk was een instelling uitgesloten.

Het verboden experiment noemen ze het, om een kind buiten de beschaving, zonder taal te laten opgroeien, en in mijn proefschrift had ik een heel hoofdstuk gewijd aan de logica van dat verbodene, de aantrekkingskracht ervan. Nog niet zo lang geleden heeft een filmmaker alle spiegels uit zijn huis verwijderd om het zorgvuldig geregisseerde moment te kunnen filmen waarop zijn zoontje kennismaakte met zichzelf, zijn eigen spiegelbeeld. Zo woedend als dat kind werd op zijn spiegelbeeld, zo was het ook tussen Gone en mij. We leken nog steeds sterk op elkaar en dat maakte het erger: het was pervers om mezelf zo te zien, zo hulpeloos, zo tussen mens en dier. Gones vertrokken gezicht, haar woedende gebaren drukten me in de afgrond die ik zelf zorgvuldig had verborgen achter een krampachtig beleefde glimlach en een stem die altijd een octaaf te hoog klonk. Ik moest wel weg, uit huis, om haar niet meer te hoeven zien, niet dagelijks te hoeven zien hoe angstaanjagend ik er *unbound* uitzag, zonder de grenzen die ik mezelf oplegde. *Binnen de lijntjes kleuren.* Ik vulde mijn naam in en tekende met een zwierig gebaar. Daarna postte ik de envelop voordat Gone die kon verscheuren, maar ze begreep wat er gebeurde en schreeuwde gekrenkt, en op zijn beurt was papa woedend omdat ik Gone van streek had gemaakt.

'Egoïst,' siste hij, 'jij denkt alleen maar aan jezelf. Wat moet je zusje nu, wat moet ze?'

In de laatste maanden voor mijn eindexamen had hij gezegd dat ik iets met mijn handen zou moeten doen, iets waar je echt wat aan had – maar ik was helemaal niet handig. Een andere keer suggereerde hij dat ik naar het conservatorium moest gaan, terwijl ik nooit een instrument gespeeld had, en geen talent had voor muziek. Toch wilde ik als kind graag cello spelen: ik zag mezelf al met een lange vlecht en in een fluwelen rok, mijn beide benen om het houten lijf geklemd, ik zag mezelf bewonderd in een ruimte van leeg marmer. De cello, zeggen ze, komt het dichtst in de buurt van de menselijke stem. Als dat zo is zou papa de snaren aan één kant losrukken, één voor één om de hals heen wikkelen en ze strak aantrekken zodat er een nutteloos en treurig wezen, een afwezigheid zou overblijven. Hij zou de kam breken en de schroeven scheef slaan en als hij dat gedaan had zou hij de stukken liefdevol bijeenrapen, koesteren en voor altijd bewaren in een fluwelen doosje. Het was niet dat hij een hekel aan muziek had, niet aan het ideaal daarvan, wel aan de werkelijkheid. Hij zei: 'Alles streeft ernaar muziek te zijn, absolute klank, beweging.' We hadden cd's van Bach thuis, cantates, motetten – alleen Bach, geen popmuziek en ook niets anders. Onder het eten luisterden we daar altijd naar, hoewel Clarissa het saai vond en rechtlijnig. Soms protesteerde ze, dan zei hij 'je moet dat leren waarderen, hoe hij het contrapunt gebruikte, het verband tussen de stemmen', en wij begrepen het niet, maar knikten toch gehoorzaam. Als hij niet thuis was zette Clarissa haar eigen cd's op, Alanis Morissette, Madonna. Eenmaal, toen ze niet wist dat ik er was, heb ik haar met haar hele lijf zien dansen, ze leek jonger dan anders en op de een of andere manier ook groter dan normaal. Toen de muziek stopte, stopte ook zij, onmiddellijk, ze zakte in alsof iemand haar had laten leeglopen, keek wat verdwaasd om zich heen, hernam zich. Ik zat boven aan de trap en schaamde me om haar te zien verdwijnen, en toen we 's avonds weer eens naar de Goldbergvariaties luisterden keek ik naar haar, naar haar starende blik en haar gezicht dat bijna niet bewoog.

Ook papa had zijn geheimen: in zijn onderste bureaula, die hij met een sleutel afsloot, bewaarde hij een whiskyfles naast Rachmaninov, Tsjaikovski, Schubert, de muziek van de grote gevoelens die hij soms voor ons draaide. Heel stil zat hij dan, het leek of hij zou breken, zijn rug zo stijf rechtop, zijn handen in zijn schoot gevouwen. Hij zei: 'Het is te veel, deze muziek, te groot, te vol.'

Toen hij zestig werd nam ik hem mee naar een concert. Zodra we zaten wist ik dat het een vergissing was, hij draaide op zijn stoel: 'Is deze plaats echt wel van ons?' Het klonk alsof hij hoopte dat iemand anders de stoelen zou komen opeisen. Ik stelde hem gerust, terwijl hij om zich heen bleef kijken. De pianist kwam op, papa verstijfde nog tijdens het applaus, zette zijn lichaam schrap voor wat er komen ging. Ik keek naar hem. Hij straalde zo veel spanning uit dat ik mezelf moest dwingen om te blijven zitten, ik durfde hem niet aan te raken en we konden niets meer zeggen toen de pianist zijn handen hief en zijn vingers op de toetsen liet neerkomen, strelen was een beter woord voor zijn bewegingen. Papa zag er gepijnigd uit, ik zag zweetdruppels op zijn slaap en zijn gezicht was grauw geworden. In de pauze zijn we weggegaan, hij zei: 'Dat al die muziek alleen van hem is, van die man daar op het podium, het doet er helemaal niet toe dat wij er zijn. En als er nu brand uitbreekt redt hij zijn piano, verder niemand. Er kan niemand meer bij, bij hem en zijn piano, hoe hij die aanraakte; een soort van liefde, maar intenser. Maar wat voor liefde is dat, waarom mogen wij daar niet bij?'

'Zo'n piano is te zwaar om te dragen bij brand,' zei ik omdat ik niets beters wist.

Hij nam niet de moeite om te antwoorden. De regen viel traag naar beneden, de stad was grijs. Ik verlangde naar de zaal die we achter ons hadden gelaten, die rood en warm was en met goud verlicht. De pauze was nog niet afgelopen, maar we konden niet meer terug. Als ik maar iets onverwachts zou kunnen zeggen, iets wat hem aan het lachen maakte. We zwegen tijdens de wandeling naar het station.

'Dag papa,' zei ik toen zijn trein er aankwam. Ik deed een stap naar hem toe in een poging hem te omhelzen. Hij deed een stap achteruit en stak zijn hand afwerend naar voren.

'Nu, dag dan.'

Ik keek hoe hij stijfjes plaatsnam achter het raam, zijn jas verschikte, ging verzitten. Ik hoopte dat hij naar me zou zwaaien, maar dat deed hij niet. Ik zwaaide wel naar hem en toen de trein begon te rijden rende ik mee over het perron tot aan het eind waar ik niet verder kon en zelfs toen wilden mijn benen nog verder rennen; in mijn lijf was een beweging begonnen die ik niet zomaar kon stoppen. Al die tijd bleef ik naar hem zwaaien, maar hij zag me niet.

'Alle woorden zijn hoeren,' zei hij vaak, 'ze gaan van hand tot hand.' Maar ik wist geen andere manier om hem te bereiken dan met woorden waar hij bijna niet naar luisterde, alleen net lang genoeg om antwoord te geven, vaak voordat ik mijn zin had afgemaakt. Ik had alle woorden netjes geordend in mijn hoofd, ik had mezelf opgevoed zoals ik dacht dat hij wilde en natuurlijk was hij trots toen ik met hoge cijfers eindexamen deed op zijn school, ik kan hem nog zien zitten glimmen in die aula, een roos in zijn knoopsgat gestoken die hij mij na afloop met een ongewoon zwierig gebaar overhandigde. Ik herinner me het gevoel van oneindig uitdijende mogelijkheden. Kort daarna gingen we naar Wenen.

Mijn studiekeuze bleek een vergissing, toch hield ik vol. Ik had een onderwerp willen kiezen waar papa's vingerafdrukken niet op zaten, maar waar ik niet aan had gedacht was de vraag waarom ik me zou interesseren voor iets wat hij altijd verafschuwd had. Bij elk college hoorde ik zijn stem in mijn achterhoofd. Bij elke werkgroep becommentarieerde hij sarcastisch de oppervlakkigheid van alle ontdekkingen die ons als universeel en eeuwig geldig werden gepresenteerd. Wanneer de hoogleraar pochte over nieuwe inzichten hoorde ik papa zeggen dat Aristoteles al zoiets had geschreven, en beter, en voordat ik het wist was ik verwikkeld in een denkbeeldige ruzie – het is meer dan eens gebeurd dat medestudenten naar me toe kwamen en vroegen of het wel goed ging, omdat ik altijd zo in mezelf zat te mompelen.

Bij mijn afstuderen waren er geen rozen, ze hadden Gone meegenomen en ik was voortdurend bang dat zij door de ceremonie heen zou gillen – ik keek zo vaak opzij dat ik amper hoorde wat er over mij gezegd werd. Na afloop sprak mijn vader de hoogleraar aan, hij zei: 'Het stelt toch tegenwoordig niets meer voor, zo'n studie, wel?' Daarna probeerde hij de arme man te testen op zijn kennis van de klassieken. Die was tot papa's genoegen uiterst beperkt, maar natuurlijk kon de hoogleraar, Van Geveren heette hij, dat niet toegeven, zodat hij zichzelf steeds verder in de problemen bracht. En papa liet niet los. Zijn stem werd schriller en luider, andere ouders begonnen om te kijken en toen Van Geveren zich verontschuldigde om iemand anders te gaan feliciteren, pakte papa de mouw van zijn jasje vast en zei: 'Het is toch zo? Geef dan toe dat het zo is.' Clarissa had allang een stap naar achteren gedaan en deed alsof ze de zeventiende-eeuwse schilderijen bestudeerde. Ik staarde naar de grond. Vroeger zou ik hiervan hebben genoten. Nu voelde ik de blik van Van Geveren. Zijn toespraakje voor mij was nietszeggend complimenteus geweest, maar nu bekeek hij me op een heel andere manier, medelijdend en tegelijkertijd verwijtend, omdat ik mijn vader bij hem in de buurt gebracht had. Ook mijn medestudenten gaapten ons nu aan, staarden naar dat kleine, fanatieke mannetje met die grote idioot aan zijn arm. Ik hoorde niet bij hen, maar zat wel aan hen vast en plotseling kreeg ik het zo benauwd dat ik met gebogen hoofd het zaaltje uit strompelde. Op de wc gooide ik water over mijn gezicht, mijn polsen, probeerde niet te hyperventileren, staarde in de spiegel. 'Dit ben ik,' zei ik, 'dit is mijn gezicht,' maar het klonk niet overtuigd. Toen ik opkeek zag ik dat Clarissa op de drempel stond. Ze had voor de gelegenheid een mantelpakje gekocht waar ze te groot voor was en nu probeerde ze vergeefs haar rok naar beneden te strijken.

'Ik wilde iets gaan eten,' zei ze vragend. 'Om het te vieren?'

'Ik ben moe.'

Maar plotseling zag ik ons samen aan een tafel zitten, alleen wij tweeën, zoals ik wel eens moeders met hun dochters zag zitten. Het was onmogelijk, natuurlijk, maar waarom? Zo ingewikkeld kon het toch niet zijn. Soms liep ik over straat en zag ik ze schaterlachen in cafés, achter hun royale stukken chocoladetaart, achter het spiegelende glas. Maar hier stonden wij in het damestoilet en schutterden; ik denk daar vaak aan terug. Clarissa is er trots op dat ik zo lang heb 'doorgeleerd', maar ze vraagt vaak wanneer ik nu ga stoppen met 'studeren' en of ik niet al bijna klaar ben. Wanneer er een artikel verschijnt over glazen plafonds en andere problemen in de wetenschap knipt ze het uit, legt het de volgende keer dat ik op bezoek ben zonder iets te zeggen naast mijn bord, naast de bloemkool die ze heeft gekookt omdat ik dat als kind graag lustte. Ze had lang uitgekeken naar mijn afstuderen, weken van tevoren vroeg ze al naar wat voor restaurant ik graag zou willen, een Griek, een Mexicaan, of Portugees misschien? Je hoeft niet bescheiden te zijn, had ze gezegd, zoiets groots mogen we best vieren, dat jij nu een geleerde bent, ik ben zo trots op je. Haar glimlach deed pijn in mijn buik.

'Ik ben te moe,' zei ik nogmaals en zij zei niets, ze streek opnieuw haar rok glad, nog een keer, en toen liepen we achter elkaar aan terug naar mijn vader.

Ik kreeg de kans om een proefschrift te schrijven. *The phenomenon of feral or 'wild' children*, zo noemde ik het in mijn voorstel, omdat die wolfskinderen zonder woorden nog het dichtst in de buurt kwamen bij wat mijn zusje was, *and how they capture us*. Het was me niet gelukt me van mijn zusje, van mijn vader te verwijderen, dus zou ik hen nu confronteren op hun eigen terrein. Het was duidelijk, en Peter zei het ook, dat ik moest afkicken van mijn familie die een verslaving was geworden, ongezond maar aantrekkelijk, en mijn proefschrift zou een overdosis zijn. Nog één keer en dan nooit meer.

Zo kwamen Amala en Kamala, de wolfskinderen van Midnapore, in mijn leven. En Kaspar Hauser, kind van heel Europa. De Amerikaanse Genie, nu nog wegkwijnend in een of ander gesticht. Vanya Yudin, het vogelkind. Victor van Aveyron, die uit de bossen kwam. Ik stond met ze op en ging met ze naar bed terwijl ik hun levens probeerde vast te leggen in een soort van proefschrift. Ik heb ze in mijn weekendtas gegooid, een kleine vierhonderd verwarde pagina's, met andere woorden, te veel. Hoe meer ik schreef, hoe verder weg ik raakte van wat ik zocht, en na vier jaar onderzoek zijn mijn handen leger dan ooit. Van Helderen heeft er niets over gezegd, maar ik weet dat hij teleurgesteld is. Het is het einde waar ik tegen opzie, het vooruitzicht dat ik een keer moet afronden, Amala, Kamala, Kaspar, Vanya, Victor en Genie achter moet laten en een conclusie schrijven terwijl ik nog steeds niet weet wie ik zelf ben.

'Vertel nu eens je eigen verhaal,' zuchtte Van Helderen tijdens onze afspraken, die schaarser en schaarser leken te worden. 'Het materiaal ligt er allemaal al, maar jij moet die ene rode draad eruit pikken en volgen, dat zijn uiteindelijk de beste proefschriften. Dat lef moet je wel hebben, Ismeen.'

Als altijd trok hij bij het uitspreken van mijn naam zijn rechterwenkbrauw op, maar wat kan hij ook weten over onze namen, onze trieste, lachwekkende namen. Antigone, dat had het moeten worden, een sterke naam en zwanger van betekenis. Wie leidde de koning door het duister? Wie koos er voor de dood? Maar Clarissa weigerde: 'Dat kun je een kind niet aandoen.' Misschien was ze bang voor de grimmige klank van die naam, bang voor de veeleisendheid van de oeroude, oersterke Antigone.

Mijn vader drong aan. Natuurlijk drong mijn vader aan en Anne, Michaela, Sanne, Maartje en Tessa sneuvelden nog op weg naar het ziekenhuis.

Zuchtend moet Clarissa een notitieblok van haar nachtkastje hebben gepakt. Ze schoof wat met de letters, altijd al behendig in scrabble.

'Hier heb je jouw Antigone, je kunt kiezen', en ze schoof het blok over haar bed naar hem toe. Hij kromp heel even in elkaar, zei toen filosofisch 'achter de woorden, de ware wereld', koos voor Gone in plaats van Goennita en deed er verder het zwijgen toe. Mijn moeder was tevreden: 'Gone, dat klinkt bijna Fries. En Ismeen lijkt sprekend op Jasmijn.'

Zo moet het gegaan zijn. Zo werden we gedoopt, kregen we onze roepnamen: ik Is en zij Gone, Antigone voor papa, Goontje als mijn moeder haar riep voor het eten. Ik heb me wel eens afgevraagd of die namen hun invloed hebben uitgeoefend, ons onbewust hebben gevormd, of alles anders was gelopen als ik Gone had geheten. Maar niets van wat ik op papier zette hielp me die vraag te beantwoorden, alles verwees alleen maar naar zichzelf en uiteindelijk vond ik zelfs de term onderzoek te hoogdravend voor de stapel papieren die nu rommelig in één hoek van de kamer ligt. Van Helderen zuchtte toen ik probeerde dat uit te leggen: 'Je kunt niet alles in dat proefschrift zetten, het is in essentie een uitsnede, jouw uitsnede van de wereld, ik zou bijna zeggen – ouderwets positivistisch, dus tussen aanhalingstekens – van de waarheid. Maar jij moet die uitsnede kiezen, Ismeen, dat begrijp je toch wel?' Ik had erg naar hem opgekeken in het begin, het was een bijna vaderlijke man, maar nu voelde ik hoe hij zich van mij verwijderde, het werd steeds lastiger om een afspraak met hem te maken en zelfs nu we hier zaten was hij in zijn brein al met iets anders bezig. Ik wilde dat hij weer naar me zou luisteren, dus knikte ik en zei dat ik hem begreep, het nu zou doen zoals hij dat graag wilde. Opnieuw schudde hij zijn hoofd: 'Niet zoals ík het wil, Ismeen, onafhankelijk academisch denken, jóuw keuze.' Misschien was hij vooral door zijn eigen teleurstelling zo bereid om mij op vakantie te sturen, want telkens als ik thuis een keuze, míjn keuze probeerde te maken, bleef ik achter met het gevoel dat het domweg niet genoeg was. Ik schreef over de controverse rond de Indiase wolfskinderen Amala en Kamala, maar het enige wat ik me afvroeg was hoe Kamala Amala vasthield als het nacht was en donker, en wat ze voelde toen Amala stierf en zij als enige overbleef, waarom ze zich pas toen door mensen liet benaderen en zich min of meer ontwikkelde, ik vroeg me af of ze haar zusje miste, of ze haar méér ging missen toen ze meer veranderde, verder weg raakte van wie ze samen waren en of ze haar zus ooit haatte omdat die haar alleen liet in een wereld die ze in haar eentje niet begreep.

Er is altijd een ordening. Papa hield het me voor als ik weer eens verdwaalde in een poging zijn Latijnse teksten te vertalen, niet wist hoe ik een coherente zin kon halen uit de woorden die in het Latijn schijnbaar willekeurig bijeen stonden: 'Misschien niet zichtbaar, maar een ordening is er. Er is altijd een patroon, maar soms zie je dat pas als het uiteenvalt.'

Genie haalde een legendarisch hoge score bij een test waar het erom ging een ordening aan te brengen in de chaos en ook Kaspar Hauser kon niet tegen rommel en wanorde. Toen Gone nog kon praten was ze slordig, slingerden haar jurken door het hele huis, kleurden haar viltstiften mijn bed rood. Door haar ziekte veranderde dat, werd ze woedend wanneer je iets van haar leende of haar aanstootte zodat haar spullen verschoven, op die momenten begon ze te schreeuwen en hield pas op wanneer ze moe was, soms pas uren later. Ze moest zeker weten waar ze alles terug kon vinden, nu ze er niet meer om kon vragen. Ze wankelde. Ze raakte gehecht aan haar spullen. Haar kleurpotloden moesten op volgorde liggen, haar kleren op kleur gesorteerd. Ze moest altijd weten waar de dingen waren nu ze er geen woorden meer voor had en soms, als ik erg kwaad was, verstopte ik haar spullen, eerst in huis en later verder weg, onder de struiken in het park, of in de kelder van de school. Ze wist dat ik het had gedaan, maar ze kon toch niets zeggen. Vaak keek ik glimlachend toe hoe ze kwaad werd, onaangedaan kon ik haar de controle zien verliezen. Des te kalmer werd ik naarmate zij meer in paniek raakte, steeds sneller rondjes liep, haar haren begon uit te trekken, krijste. Het gaf me een schuldig maar intens genoegen om bij haar wanhoop zo veel kalmte te voelen – het moet zoiets zijn geweest als wanneer kinderen een spin de poten uittrekken. Hoe ironisch dat nu mijn zusje wordt vereerd alsof ze ons kan redden van de wanorde waar ze zelf niet tegen kon. De spin zonder poten keert triomfantelijk terug. Maar Gone was nooit kwetsbaar en onmondig zoals de televisiekijkers geloven, niet het slachtoffer dat ze van haar hebben gemaakt, ze was mijn zusje en ze was heel lang vooral vervelend.

Ik was blij toen ik haar wegbracht, blij dat ze in George iemand had gevonden aan wie ze zich kon hechten, in de meest letterlijke betekenis van het woord: aan de twee mannen die in haar leven iets betekend hebben lijmde ze zich vast en ze liet niet los, tot in de dood en verder. Ik denk niet dat het liefde was. Eerder zoiets als een heremietkreeft die de ene schelp verlaat om de volgende op te zoeken, of zoals honden een nieuwe leider kiezen als de oude ziek is en verzwakt en niet langer in staat voor ze te zorgen. George was de eerste die mijn zusje niet omzichtig diplomatiek benaderde, maar plompverloren de kamer binnenliep waar ze zich verschanst had sinds papa's ziekte. Misschien interpreteerde ze dat als een signaal van dominantie, of misschien voelde ze dat deze onbekende man nog het meest op papa leek, zijn genen deelde en daarom de beste vervanger zou zijn. Hij was de eerste vreemde die ze een blik waardig keurde, terwijl Clarissa en ik verbaasd toekeken en papa met toenemende onrust vroeg wat er gebeurd was: 'Wat? Wát?' Zijn stem had schor geklonken, zijn bevelende toon hol. Zelfs de hand die hij uitstrekte – en ook die was oud geworden, zag ik, en gerimpeld – trilde, de spanning in zijn spieren deed denken aan een klauw. Toen pas realiseerde ik me hoe bang hij was om Gone te verliezen aan wat, aan wie dan ook, zelfs aan zijn eigen broer, of misschien juist.

Ik heb mijn zusje naast George voor de villa laten staan, doodstil stond ze daar. Zelf reed ik terug in George' auto, een monsterlijk ding en veel te groot voor mij. Liever was ik met de trein teruggegaan, maar George had me de wagen opgedrongen op de manier waarop een kind je dingen geeft die je niet hebben wilt, plompverloren, ervan overtuigd dat je het dankbaar aan zult nemen. Het was donker en ik zag te weinig, was bang dat er plotseling een hert de weg op zou springen of iets anders, iets duisters uit een horrorfilm. Nu dan. Nu was mijn zusje kleiner geworden in de achteruitkijkspiegel en langzaam achter me verdwenen, nu was ze eindelijk echt ergens anders en iedere kilometer vergrootte de afstand tussen ons. Het was nog niet zo lang geleden dat ik mijn rijbewijs gehaald had en eerst durfde ik mijn ogen haast niet van de weg af te wenden, reed op de manier waarvoor mijn instructeur me altijd had berispt, krampachtig, verstijfd. De auto reageerde snel en krachtig, en toen ik daar eenmaal aan gewend was begon ik voorzichtig te genieten van hoe het ding aan mij gehoorzaamde. De hele weg naar huis praatte ik tegen mijzelf, 'ze reed weg van alles, zonder om te kijken reed ze weg, want zo'n vrouw was ze', ik zette muziek op met een harde bas, draaide het volume hoger, daarna op de maximale stand. Ik speelde iemand die volwassen was, een ander leven had. Plotseling zag ik voor me hoe ik in Amerika zou kunnen rijden, nergens vandaan en nergens heen, terwijl de wind door mijn haren wapperde en de weg van mij zou zijn. Ik begon mee te zingen. Ik zou voor niemand aan de kant gaan. Ook als papa zou sterven, wat elk moment kon gebeuren, was dat niet erg. Of wel erg, natuurlijk, maar het zou niets aan mij af doen, ik zou niet hoeven wankelen. Ik was een vrouw die dit soort dingen deed, in dit soort auto's reed, de kracht ervan bedwong. Niet aarzelde.

'Ze bestuurde de wagen met één hand,' zei ik tegen mezelf, 'zelfverzekerd draaide ze de weg op.'

Maar toen ik de auto probeerde te parkeren in de garage vlak bij mijn huis, hoorde ik een schurend geluid – ik had de afstand tot de betonnen paal niet goed ingeschat, de flank van de auto opengereten. Nu pas herinnerde ik me George' woorden, de verkapte dreiging achter het grapje toen hij mij zijn auto meegaf. Dat hij een gijzelaar had, zei hij, zijn vette handen op de schouder van mijn zusje. Gone had met grote ogen naar hem opgekeken. Heel even vroeg ik me af of ze toch iets had begrepen van wat we in de afgelopen weken allemaal hadden gezegd, mijn moeder en ik, wat ze had opgevangen van onze zorgelijke gesprekken over wat we nu moesten met haar, het steentje, de rots in onze schoen. Zo gaat dat als iemand niets meer zegt – heel lang maakt het haar des te meer aanwezig, onmogelijk te negeren, maar ten slotte went ook dat en uiteindelijk wordt ze bijna een stuk meubilair en praat je ook over haar waar ze bij zit. Ik had de auto gestart en was weggereden, had nog één keer halfhartig naar haar gezwaaid, opgelucht toen ik hen in mijn achteruitkijkspiegel zag verdwijnen. Ze wilde het tenslotte zelf. Natuurlijk hebben we later gebeld met George, eerst dagelijks, toen hij nog aarzelend klonk en onzeker. Maar al snel, toen hij meer vertrouwd leek (hoewel ik hem nog steeds niet over de auto durfde te vertellen), deden we minder moeite om hem te bereiken, zelf bereikbaar te blijven. Zo simpel was het ook niet om met hem te praten. Ik herinner me een gesprek waarin hij maar bleef beweren dat ze zo puur was, zo onaangetast, zo anders dan anderen, en dat ik niets wist te zeggen. Er vielen lange, ongemakkelijke pauzes en toen hij uiteindelijk helemaal niet meer reageerde dachten we dat het toeval was, een slechte lijn, een storing.

Die ene keer dat ze papa in het hospice bezocht, sprong Gone in de vijver van de afgeschermde binnentuin. Het was een warme dag vroeg in de herfst en papa kon toen nog in een rolstoel naar buiten, al was het dan klagend over kou en knipperend met zijn ogen tegen het felle licht. Dat we hem mee naar buiten namen was meer in ons belang dan in het zijne, het gaf een gevoel van nut dat we naast zijn bed niet konden krijgen en op die plek was iedere vorm van beweging een opluchting. Er zaten meer patiënten in rolstoelen rond de vijver, geruite wollen plaids over hun knieën geslagen – het gebouw was ontworpen om de stervenden een beschermde omgeving te bieden, maar ook om hun binnen die muren alles te geven wat ze nodig hadden, zodat de levenden niet onverwacht geconfronteerd werden met uitgemergelde lijven. Als je niet ziek was hoorde je hier niet; gezonde lichamen waren hier te groot, te weelderig, bijna beschamend protserig. Iedereen keek naar ons, vooral naar Gone. Mijn zusje was het leven zelf, anders dan Clarissa en ik, die niet alleen ons tempo aan deze omgeving hadden aangepast maar ook onze lach en onze stem hadden gedempt om zo min mogelijk uit de toon te vallen, een schutkleur hadden aangenomen ergens tussen leven en dood in. Gone was eraan gewend om met haar lijf de aandacht te trekken die ze niet met woorden kon krijgen. Daarmee dreef ze Clarissa tot wanhoop, het was niet normaal. Normaal is de grootste lof die Clarissa iemand kan geven, beter dan mooi of artistiek of geniaal, waarbij er altijd iets van wantrouwen in haar stem sluipt. Normaal is iets wat ze goedkeurend kan zeggen over buurmeisjes of nichtjes, 'zo leuk, heel normale meisjes', of: 'Weet je nog, Melissa die bij jou op de basisschool gezeten heeft? Dat is toch nog een heel normaal meisje geworden.' Gone deed daar niet aan, aan het normale. Ze lachte hard en dempte haar geluiden niet, keek met grote ogen om zich heen, verbaasd over deze nieuwe mensensoort. En de bijna-doden keken terug: voorzichtig werden hoofden gedraaid op wankele halzen, diepliggende ogen volgden mijn zusje, magere handen klemden zich vast aan de stoelen. Toen rukte Gone zich los van Clarissa, die haar krampachtig had vastgehouden. Heel even stond ze stil, toen strekte ze haar armen uit en draaide een pirouette op het stenen plaatsje naast de vijver.

'Doe dat nu niet,' zei Clarissa zwakjes, 'laten we ons hier nu toch gedragen, meisje.' Ze deed een halve stap in de richting van Gone, hief een arm op om haar schouder aan te raken, stopte toen en liet haar armen slap langs haar lichaam hangen.

Gone wankelde even en keek achterom naar mijn vader. Toen nam ze een aanloop en sprong in het water. De vierkante vijver was niet erg groot en ook niet diep, er was net genoeg ruimte om in te zwemmen. Gone dook onder en weer op als een dolfijn. We hadden samen zwemles gekregen, op ons vierde waren we begonnen omdat Clarissa doodsbang was dat we zouden verdrinken in een van de sloten bij de school. Ik ben altijd bang geweest voor water, voor de diepte die zich plotseling onder mijn lijf zou kunnen openen, maar Gone haalde haar A-diploma al toen ik nog stond te bibberen aan de kant. Het was het eerste diploma dat ze eerder haalde dan ik en het zou het enige blijven, maar dat wist ik toen niet. Ik had me verraden gevoeld omdat ze niet op mij gewacht had, dat ze hier zonder mij zo goed in was. Zoveel jaar later, bleek plotseling dat ergens diep in dat bevroren lijf deze beweging was bewaard.

Ze was zo sierlijk. Er was niets wat haar vasthield in het water, niets wat haar belemmerde – ze had de plek gevonden waar ze hoorde, niet tussen anderen die haar onnodig maakten en onmondig, onbeholpen door alle gewone dingen die zij niet kon; een verzekering afsluiten, grappen maken of kritiek leveren, haar naam uitspreken of het woordje 'ik' zeggen, 'ik wil'. Onder water kan niemand praten, hoorde ze ook niet het gemurmel van de stervenden op de kant, die het leven in zich voelden terugvloeien door de aanblik van haar borsten en haar billen, maar slikten en zeiden dat zoiets toch echt niet kon. Naast mij glunderde papa en werd Clarissa kleiner, terwijl Gone met iedere slag die ze maakte meer zichzelf werd. Wij wachtten en keken, niet in staat om iets te doen totdat zij de betovering verbrak en toen dat gebeurde deed ze me denken aan de kleine zeemeermin, zoals ze uit het water opdook, zich op de betonnen kant trok: het water dat uit haar rode haren droop, de kleren die tegen haar lichaam plakten, de stukjes kroos die aan haar wangen waren blijven haken.

We waren er allemaal bij en allemaal zagen we het gebeuren: hoe ze haar sierlijke vissenlijf inleverde voor een paar benen. Die keer, toen ze opkeek, toen waren haar ogen veelzeggend, toen wel; groter en op de een of andere manier veelomvattender dan die van ons en daarom stralend en heel sterk, misschien een klein beetje ironisch, alsof ze meer wist dan wij, alsof ze lachte om ons, haar familie en de figuranten om ons heen, maar niet kwaadaardig, eerder vetederd of wijs, en ik besefte dat ik van haar hield, heel even maar, dat ergens in dat lichaam iemand verborgen zat die ik misschien niet meer kende, maar die nog steeds haar hand uitstak naar mij. Toen bewoog Clarissa en verbrak het moment, ze redderde om haar weg te trekken naar een handdoek en naar droge kleren, maar vooral uit beeld, en papa zakte terug in zijn rolstoel en de andere stervenden hervatten hun trage gesprekken en ik bleef staan met het gevoel dat ik iets had verloren.

Niet veel later kwam George.

If feral children did not learn to speak, they nonetheless are heard by us. Het is de obsessie voor 'wilde kinderen' die het onderwerp vormt van mijn proefschrift: wat fascineert ons in kinderen die opgegroeid zijn buiten de beschaving, bij wilde dieren of helemaal alleen en slechts bij toeval onze wereld kruisen, waarom vinden we die wezentjes zo interessant, die wegrennen, ons slaan en krabben, niet spreken of onverstaanbaar blijven, die zijn zoals wij en toch helemaal anders, in zekere zin, of dat hopen we, onbedorven? Natuurlijk zijn de meesten – in werkelijkheid – achterlijk, of op zijn minst mishandeld of misbruikt en daarom weggelopen of nooit opgegroeid. Maar dat is het verhaal niet dat we over hen vertellen.

'De werkelijkheid heeft niets aantrekkelijks,' zei papa vroeger, wanneer hij ons meenam door de gangen van wat, dacht ik, zijn paleis was. De lange oprijlaan, de enorme koepel die bedekt was met grijze leisten, de tuinen en de velden daaromheen, waar pauwen, parelhoenderen en kippen scharrelden die me aanvielen toen ik nog klein was – ik wist zeker dat het allemaal van ons was. Niet zo'n vreemde gedachte voor een kind; tenslotte had hij de sleutel, waarmee hij in sommige weekenden de zware deuren opende en ons het gebouw binnenliet, de hoge hal, de eindeloze gangen waarin we verdwaalden als hij niet vlak bij ons bleef. Papa leek tijdens die dagen meer op zijn gemak dan wanneer de leerlingen er waren, kinderen in designerkleren die wij als indringers beschouwden en altijd vijandig aankeken. Niet een van de scholieren heeft dat trouwens ooit opgemerkt: we waren een tweeling en nog klein, misschien boos maar niet kwaadaardig, hoogstens een beetje griezelig in onze gelijkvormigheid. Ze konden niet vermoeden hoe Gone gefascineerd werd door de vraag waarom we niet in dat paleis woonden maar ernaast, in een klein, peperkoekachtig huisje dat op open dagen afgedwaalde ouders eensgezind deed oh-en en ah-en. Wij zouden ervoor zorgen dat papa in zijn eer werd hersteld, dat had mijn zus zo besloten, en Gone kwam nooit terug op een besluit, ook vroeger niet. Het ging haar niet om status, maar om hetgeen mijn vaders schouders had gebogen, zijn rug gekromd; iets moest hem hebben verslagen. 's Avonds fantaseerden we over wat ons uit het paleis verdreven had. Diep in het gebouw zou een monster verborgen zijn, of preciezer, een minotaurus of misschien Medusa zelf. De werkelijkheid heeft niets aantrekkelijks. Toch denk ik dat je kunt zeggen dat onze kindertijd idyllisch was, zo afgesloten als we leefden, en ik hoor papa's stem, zie zijn geheven wijsvinger: 'Idos, Ismeen: vorm, idee. Plaatje.'

Mijn moeder had papavers geplant in de tuin van ons huis, een klein lapje op het uitgestrekte landgoed van de school. Ze had er oude, met mos begroeide steentjes neergelegd en daartussen groeiden korenbloemen, klaprozen, vrouwenmantel en vlinderstruiken; als klein kind keek ik vaak vanaf de grond hoe de kleuren boven mijn hoofd verwaaiden. Achter elkaar marcheerden we over de smalle, kronkelige paadjes naar de schommel – een optocht van twee deelnemers – en exact tegelijkertijd namen we plaats op de schommel, die onder ons gewicht een klein beetje bewoog. Het kwam eropaan om precies tegelijk naar achteren te lopen, voetje voor voetje voor voetje – je kon de ruwe stenen dwars door je zool heen voelen –, dan stil te staan, elkaar nog even aan te kijken om dan op hetzelfde moment af te zetten, los te laten. Met onze vier benen door de lucht te vliegen en te weten dat je nu zou kunnen vallen, de duizelingen in je buik, de hoogte onder je.

Ik liep altijd achteraan en altijd dacht ik papa's ogen in mijn rug te voelen. Zijn werkkamer keek uit op de tuin en vaak kwam hij naar buiten om de schommel te duwen. Soms zong hij 'row, row, row, the boat, gently down the stream, merrily, merrily, merrily, life is just a dream', of een ander simpel liedje. Hij zong niet vaak, en zijn stem klonk hoekig, een beetje onhandig – alsof hij die speciaal voor ons had afgestoft. Achteraf denk ik dat hij misschien wel bedelde om met ons te mogen meedoen, maar in die tijd zag ik dat natuurlijk anders. Hij was onze vader en dus zo iemand als Zeus in de verhalen die hij ons voor het slapen vertelde en die vol zaten met bliksemschichten, zwanen, blauweregens, met oppergoden die de een bij wijze van grapje tot leven wekten, de ander moeiteloos ter dood veroordeelden als straf voor een onzuiverheid, een verkeerde afkomst, onvoldoende ijver of te veel – ze waren snel teleurgesteld, de goden van toen, en zelden vergevingsgezind. Ooit vertelde papa hoe geschokt hij was toen hij nog op de middelbare school zag hoe het meisje op wie hij toen verliefd was – niet mijn moeder – een boterham naar binnen werkte. De kruimels op haar tong. Te weten dat ook zij moest eten om te leven, dat haar darmen in peristaltische bewegingen het eten verteerden, dat ze het met haar broek op haar knieën uitpoepte, was voldoende om de liefde te bederven en voortaan haatte hij haar omdat ook zij gewoon van vlees en bloed was. 'En ze was zo mooi,' had hij vol onbegrip gezegd, 'zo'n zuiver, etherisch meisje, je kon bijna door haar huid heen kijken.'

'Wat had je dan verwacht?' had Clarissa gevraagd, maar daarop had hij niet geantwoord.

Papa kon de dingen nooit gewoon de dingen laten, een lichaam nooit gewoon een lijf. Hij was ontzet toen de schoolarts had ontdekt dat ik bijziend was. 'Ik was er al bang voor, Ismeen, in jouw geval, hm, je zou kunnen zeggen dat ik er een voorgevoel van had, hm, en wat je moet beseffen is dat zo'n bril je echt een ander kind maakt.' Ik was nu niet meer helemaal van hem, niet meer volmaakt, omdat ik voortaan iets kunstmatigs op mijn neus zou moeten dragen: mijn blik op de wereld bleek ontoereikend, mijn bijziendheid was een persoonlijk falen. Precies zo kon Gones verlies van de taal niet datgene zijn wat het volgens de dokters was: gewoon een ziekte, een zeldzame vorm van epilepsie. Domme pech.

Gone hoorde bij ons, bij hem, en ze kon niet zomaar van iemand anders zijn, kon niet plotseling alleen nog bij de naamgever van het syndroom horen of bij de artsen en deskundigen met hun beledigend betuttelende termen. Gones gebrek aan spraak was geen gebrek, het was geluk, of dat dacht hij, dat dachten wij. Plotseling was het verboden experiment niet meer verboden en ook geen experiment – een simpele storing in de hersenen en Gone veranderde in een nobele wilde, buiten het bereik van de taal die alles verpest. Dat was zo ongeveer op het moment dat we begrepen dat het paleis een school was, en papa niet de baas en nooit geweest.

Papa had ons leren praten. Hij had ons geleerd hoe de dingen heten, maar hij deed dat alleen omdat zoiets nu eenmaal van een ouder wordt verwacht. Ik kon zien dat het hem pijn deed, elke keer als ik een bloem 'bloem' noemde, of roos of zelfs bougainville – een woord waarop ik trots was. Hij wilde de wereld bewaren waarin we onze eigen woorden maakten, onze eigen namen gaven en waarin hij de enige zou zijn die ons begreep. Elke brave naam die hij ons had geleerd, al wilde hij dat niet, die we wel moesten leren om met anderen te kunnen praten, elk van die bestaande woorden, de namen van de anderen, wiste een woord uit dat had kunnen zijn, een naam alleen van ons. Elk van die woorden maakte ons een beetje groter, meer volwassen, meer van hen, maar hem wat ouder en wat doder. Eerst leerde hij ons met tegenzin praten en toen het definitief te laat was en we nooit meer een eigen onzinwoord bedachten, toen leerde hij ons precisie – hij hamerde erop dat we exact het juiste woord gebruikten, niet zomaar iets wat in de buurt kwam. 'Woorden,' zei hij, 'zijn gevaarlijk, onderschat ze niet.'

Op papa's werkkamer nestelden wij ons als een tweekoppige,

zwijgende hond in het hoekje naast de boekenkast, tussen de woordenboeken. 'Afasie,' zei ik; 'apathisch,' zei zij – de woorden waren klanken, eerder dan betekenis, en zo gingen we letter voor letter het alfabet af. We keken naar hem en dan weer in de woordenboeken. We keken zonder te knipperen. 's Avonds, nadat wij naar bed waren gestuurd, luisterden we naar de ruzies waarvan de geluiden door de houten deur heen drongen, en grepen we elkaar vast. We hoorden hoe verwijten de stemmen van onze ouders verwrongen, we hoorden hoe de woorden door hun lichaam trokken en hen uitgeput achterlieten. Als een nagel die je over het schoolbord trok, zo ruziede mijn moeder, en wij haatten haar daarom, lieten de volgende dag, en de dag daarna en daarna, zwijgend onze afkeuring blijken en nestelden ons met nog meer vastberadenheid in papa's werkkamer. Hij liet meestal niet eens merken dat hij ons zag, maar we voelden dat wij daar op onze plaats waren, omdat wij hem begrepen. De ruimte zag eruit als een negentiende-eeuws rariteitenkabinet en het was een privilege om daar te mogen zijn. In de kast stonden zeldzame eerste drukken en verweerde leren banden, daarnaast kleine marmeren beelden uit Griekenland en Rome. Er was de verrijdbare ladder die tegen de boekenkast stond en waar we soms op mochten klimmen om iets voor papa te pakken als Oedipoes luidruchtig lag te spinnen op zijn schoot. Het uitzicht op de tuin, de schommel die in de wind soms heen en weer zwaaide alsof er net iemand van afgesprongen was. En dan waren er de Idylles, die samen één complete muurkast vulden. Ik weet niet wanneer papa ermee begonnen is, of waarom – in mijn herinnering waren ze er altijd al. Clarissa op het terras van het café, een schoot voorgebonden. Mijn ouders in het ziekenhuis. Gone en ik in de wieg, in onze gele kinderkamer. Gone en ik op het podium bij de jaarlijkse balletuitvoering. Gone. Het decor was driedimensionaal, met een echt klein wiegje en een minuscuul bord met eten in mijn moeders hand, een petieterige versie van Oedipoes die langs haar benen streek. Alleen de poppetjes waren platte figuren, simpel karton met kleren aan. Maar onze gezichten waren volmaakt precies getekend: in de *Idylles* lachten we altijd, verstard in onze beweging en met gesloten mond.

De gelukkigste tijd was die van voordat er woorden waren, de tijd dat mijn zusje en ik in hetzelfde bed sliepen en ik niet wist waar mijn huid ophield en die van haar begon, twee dieren in het donker met de armen om elkaar en allebei lang haar. Dat soort diepe warmte heb ik nooit meer gevoeld, onze huid zo bleek en kwetsbaar en haar hart dat ik daaronder voelde kloppen, zoals een trommel het ritme onder zijn vel bewaart. We hoefden toen nog niet te ademen, niet zo bewust, niet zoals nu, nu ik merk dat ik mijn borstkas te hoog optrek en slechts met horten en stoten naar lucht hap. In mijn herinnering was alles vroeger vloeiend, ook het geluid van onze stemmen en de taal die we toen spraken, en zo geheim als onze taal was, zo besloten was ook onze godsdienst, want we erkenden slechts één God en wij tweeën waren zijn profeten, de enige twee die hem volledig begrepen. Onze Vader die in de hemelen zijt, Uw naam worde geheiligd, Uw koninkrijk kome hier op aarde gelijk in de hemel.

De eigenaresse hier zegt dat ze de kamer verhuurt om aanspraak te hebben nu haar man gestorven is, ze zoekt voortdurend contact. Ze vraagt bezorgd of het ontbijt wel lekker was als ze het dienblad komt ophalen dat ik weer niet aangeraakt heb en ook vroeg ze of ik een vriendje heb. Ik dacht aan Peter en zei niets. Ze is iemand die op haar tenen loopt en grijze jurken draagt. Vanochtend zei ze: 'De laatste keer dat ik met iemand sprak was na het overlijden van mijn man, ik had net bloemen voor hem gekocht, toen ging hij dood. Ik haalde de vaas op van zijn kamer om ze naast hem te kunnen zetten, in ziekenhuizen leggen ze de doden altijd beneden, en toen ik met die bloemen liep sprak een man me aan, een heer. We hebben fijn gepraat toen.' Ze zei: 'Het is niet reëel, dat weet ik wel, toch hoop ik dat hij hier een keer toevallig komt, dat zou toch kunnen?'

Ik knikte beleefd en probeerde me zo snel mogelijk in mijn kamer terug te trekken, zonder me om te draaien liep ik achteruit zoals ik dat bij een gevaarlijk dier zou doen, mijn ogen gericht op haar mond. Ik heb geen behoefte aan contact en het is niet aan mij om haar illusies te verstoren, de treurige bescheidenheid ervan. 'Heb je de krant gezien? Wat zal er nu gebeuren, wat moeten we nu doen. Nog even en we eindigen straatarm, als kerkratten.' Ze zei: 'Nu ja, ik zal u ook niet langer lastigvallen', en in haar stem klonk het verlangen door dat wel te doen. Ze drinkt 's avonds één glaasje sherry.

Het is drie dagen geleden dat ik hier aankwam en nu al kan ik me niet meer voorstellen dat ik weer terug naar huis zou gaan. Peter had gelijk toen hij zei dat vluchten eenvoudig is, maar omkeren niet, hij zei 'je zult steeds verder willen, steeds verder weg' en even dacht ik dat hij me zou vragen om bij hem te blijven, maar dat deed hij niet. Vandaag heeft hij me geen berichtje meer gestuurd.

Pas als het donker wordt ga ik naar buiten, ik ben niet zozeer bang om herkend als wel om bekeken te worden. Voor de media was het eenvoudig om ook achter mijn naam te komen en ik heb gehoord dat ze op het instituut zijn geweest. Iedereen heeft me verzekerd dat zij niets hebben gezegd, toch heb ik het gevoel dat er stukjes van mijzelf ontvreemd zijn en ik houd de neiging om over mijn schouder te kijken als ik over straat loop. Het huis ligt bijna in de duinen en ik moet naar beneden om bij het strand te komen; het soort zanderige helling waar ik als kind graag vanaf rende om te voelen hoe de snelheid zich in mijn benen verzamelde totdat ik bijna viel. Nu loop ik bedaard en traag, zak diep weg in het zand. Ik heb nooit zo goed kind kunnen zijn. Soms lijkt het alsof ik die tijd heb gemist, krijg ik spijt omdat ik vroeger nooit de dingen durfde te doen die toen spannend waren en verboden en gevaarlijk, maar die achteraf zo veilig lijken: overlopen naar de tent van de jongens op zomerkamp, vuurtjes stoken en in bomen klimmen, met blaaspijpen besjes schieten, de dingen die je je later zou kunnen herinneren. Ik ben van de generatie van net ná Nirvana, *smells like teen* spirit is mij ontgaan en nu ben ik vaak bang zonder herinnering te blijven, als ik oud ben te ontdekken dat er niets is om op terug te kijken omdat ik altijd bezig was met braaf zijn. De ideeën die ik die nacht in George' auto kreeg, de reizen die ik zou maken, de werelden die ik alleen ontdekken zou, de wensen die ik had, het lijkt nu allemaal zo kinderlijk, en als ik langs het strand loop denk ik daaraan als aan iets uit een andere tijd.

De zee is rustig 's avonds en diep zwart. Alleen in de verte glinsteren lichtjes, het is een schim van zoiets als Las Vegas, droombeeld tegen de zwarte lucht van de woestijn, het strand. Vroeger vertelde ik in mijn hoofd aan één stuk door verhalen over mijzelf, alsof ik een reporter was, 'ze loopt over straat', 'ze gaat het huis binnen', alleen maar om die werkelijkheid belangrijker te maken, mezelf belangrijker te maken. Nu aanbidt de helft van het land mijn zusje, of haar schim en overal hangen haar posters, de scherp afgetekende juk- en sleutelbeenderen, haar starende ogen. Ze staat op blote voeten in een dun nachthemdje, één handpalm naar voren, de andere arm hangt slap langs haar lichaam. Eronder in grote letters: BEHOUD HET GEZOND VERSTAND EN/OF DE ANGST. 'Dat kind,' zei de hospita, 'o God, dat kind.'

Mijn zusje was zielig.

Dat zeiden de vriendinnen van mijn moeder, dikke vrouwen die me in mijn wangen knepen tot het pijn deed. Vooral Trudy kwam vaak langs, maar alleen als papa er niet was. Ze had een harde stem en vroeg altijd hoe het op school ging en als ik zachtjes iets mompelde zei ze, zonder op mijn antwoord te letten: 'Ze is verlegen, hè, dat gaat wel over. Zo was ik vroeger zelf ook, meid, je moest eens weten.' Trudy bestudeerde Gone alsof ze een zeldzaam dier was en Gone gedroeg zich ook zo en begon zachtjes te grommen wanneer ze de kamer binnenkwam en harder als Trudy een hand naar haar uitstrekte, één keer heeft ze haar zelfs gebeten. Later hoorde ik Trudy over Gone praten met een vrouw die ik niet kende, haar stem was hard en schalde over straat, ze zei 'en dat kind is ook zo'n straf, Clarissa heeft het niet gemakkelijk, het zal je toch gebeuren', haar stem klonk vergenoegd.

Mijn zusje was zielig, maar niet op de onschuldige manier waarop zeehondjes zielig zijn, in haar zieligheid zat iets beschamends dat beter verborgen kon blijven. Ik zag de schande in de ogen van mijn klasgenootjes toen ik Gone nog met mij mee naar school sleepte. Het was sowieso niet gemakkelijk op school, want onze ijver met de woordenboeken werkte nu tegen mij: er zwierven te veel dure woorden om mij heen. Mijn klasgenoten begrepen me niet, ze werden argwanend en ik moest mezelf dwingen mijn vocabulaire te beperken. Dat mijn zusje nu een idioot was geworden maakte mijn toch al precaire positie nog wankeler; het liefst had ik haar achter mijn rug verborgen, of in mijn schooltas als het had gekund. Toen ze uiteindelijk een blauw oog opliep ging papa over op thuisonderwijs, ook hij leek opgelucht. Wanneer hij haar 's avonds lesgaf stond ik aan de deur van de studeerkamer te luisteren, keek naar de deurknop die ik niet durfde te bewegen en vroeg me af waarom ik zo jaloers was op iemand die toch zielig was en onbeholpen vreemd. Wat me verbijsterde was dat zij – terwijl iedereen in mijn klas toch wist dat ze gek was – nog steeds al zijn aandacht kreeg. Terwijl ik toch mijn best deed, hoge cijfers haalde, woordgrapjes voor hem probeerde te bedenken, was er om hem heen het een of andere verdriet gestold – ik weet niet wat, misschien weet niemand dat of was er niets bepaalds, gewoon algemene teleurstelling –, en dat verdriet vormde een harnas, wijd uitstaand, onbuigzaam. Ik kwam er niet voorbij en ik boeide hem minder naarmate ik er meer mijn best voor deed. De tijd kwam dat ik hem iets vertelde, iets waarvan ik dacht dat het origineel zou zijn, bijzonder, de tijd kwam dat ik wachtte op een lach die niet meer kwam en dan was ik verloren, stamelde en bleef maar stamelen, bleef zoeken naar nieuwe woorden om hem te laten zien dat ik niet was zoals de anderen, niet zo grijs als zij, maar hij keek weg en ik bleef praten omdat ik wilde dat hij ook naar mij zou kijken, ik wilde zoals kinderen iets kunnen willen, met mijn hele lijf, en Go-

49

ne keek naar ons vanuit de hoek, keek zo intens naar ons, en ik had kunnen zweren dat ze toen iets leerde, iets besloten heeft terwijl papa het mes zette in een stuk karton, uitschoot en mij wegjoeg omdat hij zich niet kon concentreren.

Misschien zal ik me op een dag – niet nu, maar jaren later, als ik veertig ben en dik en van mezelf overtuigd –, misschien zal ik me dan afvragen waarom het zo belangrijk was door hem gezien te worden. Ik zal hard lachen en een opzichtige paarse jurk dragen, ik zal zeggen: 'God, meid, dat snap ik ook niet, waarom ik toen, zo lang geleden, alleen bestond wanneer mijn vader naar me keek.' Het was niet alleen omdat hij altijd thuis was en chocolademelk met slagroom voor ons maakte, en ook niet om de redenen die Freud ervoor zou geven. Papa was simpelweg veel mooier dan Clarissa en dat kwam niet door zijn uiterlijk. Dat waar papa naar keek begon te gloeien, werd beter, meer bijzonder, kreeg het recht om te bestaan. Ook wij werden van goud, de zeldzame keren dat hij van zijn werk opkeek en ons zag. Dat zijn blik Clarissa niet meer kon betoveren, dat ze vermoeid, versleten leek, dat de verticale lijnen rond haar mond altijd groter waren dan haar berustende glimlach, was nog iets om haar kwalijk te nemen. Wij voelden zijn blik tot diep in ons lijf. Wij hoefden daar nooit over te praten. We wisten het. En we wisten ook, en het deed ons goed, dat Clarissa nooit in zijn kamer mocht komen, nog niet op een meter afstand van de deur. 'Die kamer is mijn hoofd,' zei hij. 'De rotzooi die erin ligt – mijn hoofd. De stapels. Mijn hoofd.' Hij zei het grappend tegen kennissen en Clarissa schudde haar hoofd en zei dat het tijd werd om op te stappen. Anders dan die kennissen wisten wij hoe serieus zijn woorden waren bedoeld en daar waren we trots op, dat hij ons toeliet in zijn hoofd. Wij waren papa's meisjes in de rotzooi van zijn hoofd, 'kinderen van onze vader', kleurige kanaries in een zwarte kolenmijn en meer hoefden we niet te worden. Als het aan papa lag waren we niet uit Clarissa's buik gekomen, maar, zoals Athene, uit zijn hoofd. Het liefst had hij ons zonder tussenkomst van iemand anders in één dag uit zichzelf geschapen.

Door de jaren heen besteedde papa steeds meer tijd aan de *Idylles*. Naast de afbeeldingen van ons gezin was er een set over de Griekse Oudheid. Oedipus die zichzelf de ogen uitsteekt. Antigone bij haar broer. Orestes en de wraakgodinnen. Toen Gone niet meer kon praten ontdekte ook zij de *Idylles*, ging naast papa zitten en keek toe hoe hij de afbeeldingen uitsneed, net zo lang tot hij haar het mesje toevertrouwde. Papa's taferelen waren benauwend, maar die van Gone vond ik pas echt angstaanjagend. Zij plaatste ons in de verhalen die papa had verteld: Gone in een grot, de ingang afgesloten met een steen; mijn vader die zichzelf de ogen uitsteekt en aan de hand van Gone door een donker bos wordt geleid.

Papa leek niet eens te zien hoe angstaanjagend haar afbeeldingen waren. Hij was trots op wat ze maakte. Heel voorzichtig zette hij Gones *Idylles* op de kastplank naast die van hem. Daarna deed hij een stap naar achteren en stond hij er met gekruiste armen even bewonderend naar te kijken. Ik keek hoe hij Gone tegen zich aan trok en probeerde het gat te negeren dat zich in mijn buik had gevormd. Het lichaam van mijn zusje bood heel even tegenstand, leek heel even te aarzelen. Toen gaf zij zich aan hem over, kroop tegen hem aan als een puppy. Hij straalde.

Tegen mij zei hij: 'Je wordt een vrouw, Ismeen, snel zul je geen meisje meer zijn. En als je een vrouw bent, hm, ben je geen dochter, kun je geen dochter meer zijn. Geen dochter van je vader, hm, niet van mij.' Ik was negen. Vanaf die dag was ik bang om volwassen te worden, werd het daardoor des te sneller. Iedere ochtend keek ik in de spiegel om te zien of ik nog niet veranderd was. Heel lang ging het goed, veranderde er niets aan mij of niets wat ik kon zien, maar in papa's ogen werd ik langzaam iemand anders. Soms leek het of alleen al mijn aanwezigheid te veel voor hem was. Dat zei hij niet, hij keek alleen een heel klein beetje weg. Zijn stem klonk wat gespannen als ik in de kamer was, net iets te vriendelijk, zoals wanneer je je inspant om aardig te zijn tegen iemand die je eigenlijk niet mag. Als ik hem tegen Gone hoorde praten klonk hij anders, zachter en dieper, soms stond ik uren bij de deur van zijn werkkamer te luisteren hoe hij tegen haar praatte, dan stelde ik me voor dat ik daarbinnen was. Eenmaal hoorde ik hem fluisteren, krampachtig klonk het, alsof hij ergens op beet om niet huilen: 'Niet weggaan, alsjeblieft, niet weggaan.' Maar voor mijn vader zouden dat vreemde woorden zijn en achteraf vraag ik me af of je gefluister door de deur heen kunt verstaan. Mijn hand ging soms uit eigen beweging naar de deurklink, maar het was onmogelijk de deur te openen, onmogelijk op de manier waarop in sprookjes dingen onmogelijk zijn, omdat er een bezwering is of de een of andere naamloze magie die het verbiedt. Toen kreeg ik toch nog plotseling borsten. Hij zei: 'Jouw lichaam heeft geen literaire kwaliteit', hij loog. De leugen zat niet in zijn woorden, maar in het trillen van zijn vingertoppen als hij mijn huid net niet aanraakte. Adem dieper in zijn keel dan als hij sprak, adem onwillig om naar buiten te komen, verstopte, verstokte adem, afgewend hoofd. Onvermijdelijk kwamen de borsten, hoewel ik ze eerst nog probeerde te verbergen, terug te duwen. Het was lang voordat we naar Wenen gingen, toen werd ik bang en hij werd bang van mij.

*

Als het luchtalarm afgaat ga ik naar buiten, het is de eerste maandag van de maand. Ik luister naar de sirenes, hun hysterische gejank. De meeuwen krijsen verontwaardigd, op straat kijkt niemand om. Een man roept: 'Doe er dan wat aan' – tegen de lucht, lijkt het. Ik loop zo dicht mogelijk tegen de winkels om beschutting te zoeken tegen iets onbestemds. Het is lang geleden dat ik overdag buiten was. Het grijze licht is bijna te fel voor mijn ogen, het tempo van alles hier te snel. Tegen de lantaarnpalen zijn nog altijd posters van Gone geplakt, de bloemen die erbij liggen verdord, de knuffels vuil geworden. Het gezicht van mijn zusje bladdert af, er is een groot stuk wit zichtbaar waar het papier bloot komt te liggen. Ze mist één oog.

Vroeger gingen we vaak op de fiets naar het strand, dat dicht bij ons huis lag, ik herinner me het gevoel van de lucht tegen mijn blote benen, de afwisseling van koud en warm. Papa zou nooit een korte broek aantrekken, hoogstens rolde hij zijn pantalon een heel klein beetje op, maar nooit veel hoger dan zijn enkels. Zo stond hij in zijn nette kleren in de branding, het was een zeldzaamheid dat ik zijn blote voeten zag. Zijn kleren maakten hem breekbaar op die plek en naakter dan de anderen, omdat hier iedereen in zwembroek liep of in boxershort. Andere vaders speelden met grote rubberballen, groeven kastelen, riepen met harde stemmen naar hun kinderen, aten een ijsje. Papa stond een beetje afzijdig van de menigte, hij drong er altijd op aan dat we liepen tot voorbij die onzichtbare grens waar geen badgast zijn handdoek nog neerlegde, behalve wij. Hij speelde niet, hij gooide niet met ballen, hij stond daar maar in zijn nette kleren in de zee, zijn handen in zijn zakken, zijn hoofd een klein beetje gebogen. Ook wanneer we op het strand de andere badgasten passeerden hield hij zijn hoofd gebogen, als we langs vrouwen in bikini's kwamen sloeg hij zijn ogen neer, beschaamd of niet bereid om naar hun buik te kijken, de borsten die opbolden onder te kleine stukjes stof. Hij was het soort man dat zich al naakt voelde als hij zijn bril afzette.

Ik had een opname moeten maken van zijn stem, maar ik schaamde me om hem zoiets te vragen, zichtbaar te maken wat we allemaal beseften: dat hij doodging, dat het niet lang meer duurde voor zijn stem definitief zou verdwijnen. Ik schaamde me omdat ik wel zou doorleven, hoogstwaarschijnlijk nog jarenlang, omdat zijn dood niet ook mij door de grond zou laten zakken. Ik zou geen zelfmoord plegen zoals in zijn geliefde tragedies gebeurde, ook de dag na zijn dood zou ik mijn dagelijkse dingen doen, koffiezetten, uit het raam kijken, en uiteindelijk zou hij tussen al die dagelijkse dingen langzaam maar zeker verdwijnen. Ik heb zijn stem niet hier, ik weet al niet meer hoe hij klinkt. Alleen zijn kleren zijn nog over, de colbertjes van groen, blauw, bruin ribfluweel waarin nog een vage zweem van zijn geur hangt, maar ook daaruit is hij al aan het verdwijnen.

Het is vreemd om te bedenken dat de man die wij vroeger zo hebben bewonderd op deze manier is geëindigd, dat er niets meer overblijft dan dit, een advertentie in de krant, betaald en opgesteld door het schoolbestuur. Je merkt dat ze niet wisten wat ze moesten schrijven, misschien heeft een secretaresse de obligate tekst bedacht: 'We zijn geschokt en verdrietig door het overlijden van onze collega en conciërge. Siegfried stond voor iedereen klaar en nam ons veel werk uit handen. We zullen hem erg missen.' Nog voor hij goed en wel begraven was lieten ze per brief weten dat het huis ontruimd zou moeten worden.

De artsen wisten niet hoe lang het nog zou duren, ze zeiden dat er niets over te zeggen viel. 'Het komt allemaal aan op zijn wil om te leven', om dan, als ze de ogen van mijn moeder zagen oplichten, er haastig aan toe te voegen dat het allemaal gradueel was, dat hij natuurlijk niet meer te redden viel en dat ze dat moesten accepteren, dat hij zou sterven. Dan lachte Clarissa en zei: 'We sterven al vanaf onze geboorte, toch, Siegfried?' Ze probeerde hun zinnen van zich af te schudden, maar haar lach klonk iets te hoog om overtuigend te zijn en papa antwoordde niet.

Later zei Clarissa dat ze er spijt van had dat ze gestopt was met roken. Ze zat angstvallig rechtop, alsof zelfs de geringste buiging het begin van de ineenstorting zou betekenen. Haar handen trilden.

'Je mag niet roken in een hospice.'

'Maar wel buiten, waar alle zieke mensen zitten met infusen in hun arm.'

'Jij bent niet ziek. Je mag pas roken als je al stervende bent.'

Samen keken we naar papa, die zachtjes snurkte. Naast zijn bed een stapel boeken, Plato, Lucretius, Seneca. Een foto van mijn zusje. Gone was toen een dag bij George, ze had nog steeds niets gegeten en hij belde om te vragen wat hij eraan kon doen. George was, anders dan ik had verwacht, een verlegen man, haast onderdanig, die zich klein maakte in al dat vet en al zijn zinnen op vragende toon herhaalde: 'Gone lijkt niet te eten, ze eet niet? Ik maak me zorgen, maak me zorgen?' Ik heb George toen uitgelegd dat ze wel vaker gestopt was met eten, dat ze papa miste en dat ze George niet kende; dat hij haar om de een of andere reden vertrouwd had geleken, maar toch een vreemde was. Clarissa luisterde naar mij en knikte. Het waren dingen die ze zelf ook wel wist, maar toch graag van mij wilde horen, alsof ik een bevoorrechte toegang had tot de gedachten van mijn zusje, mensen denken dat vaak. Aan het eind van het gesprek zuchtte ze opgelucht, ze zei: 'Jij bent ook zo slim.'

Ik keek uit het raam, vermeed haar blik. Mijn moeder heeft altijd een zwak voor souvenirs gehad, hoe kitscherig, hoe vreselijk ook; ze heeft een klok met gouden wijzers op een gelakte boomstam, ze heeft miniatuurheksen gekocht in Oostenrijk en pluchen sint-bernardshonden in Bern. Ze zoekt naar iets wat ze in beide handen kan vasthouden, ze verzamelt van alles. Alleen haar dochter is uit haar handen gevallen toen ze even niet keek, gevallen en gebroken, lang voordat ze publiek bezit werd.

Haar handen. Wanneer ik aan mijn vader denk zie ik zijn hoofd, zijn mond, maar van Clarissa zijn haar handen het eerste wat ik voor me zie, haar handen die – stel ik me voor – nu nutteloos in haar schoot liggen, nu alle verhuisdozen zijn ingepakt, het huis al leeg en schoon is en wij weg zijn. Ik durf haar niet onder ogen te komen: ik heb een kras gemaakt in George' autolak, ik heb haar dochter vermoord. Elke ochtend verwacht ik dat het donker blijft als ik mijn ogen opendoe. Dat ik in mijn slaap gestorven ben of blind of mank geworden, ik zie al voor me hoe ik me stuntelend en struikelend door de rest van mijn leven beweeg, afhankelijk van de hulp van goedwillende anderen, dat zou me uiteindelijk, te laat, precies zoals mijn zusje maken.

Het is niet onmogelijk dat iedereen naar mij keek voor een oplossing, maar dat ik dat niet besefte, zo'n simpel, noodlottig toeval dat nu eenmaal voorkomt. Misschien waren we domweg het eindpunt van elkaar kruisende verhalen. Nu pas, te laat, zie ik dat van mij het meest verwacht werd omdat ik nu eenmaal haar tweelingzus was, degene met de bevoorrechte toegang.

Vlak nadat ik bij mijn parkeerpoging George' auto had vernield verdronk ik bijna een duivenjong. Het dier moest in mijn afwezigheid uit een ei zijn gekomen dat ik nog niet had opgemerkt, kreeg de volle laag toen ik de avond van mijn terugkomst in het donker, moe, gehaast, de kwijnende geranium op mijn balkon begoot. Pas de volgende ochtend zag ik het kuiken, dat rilde van de kou of misschien van de angst voor mij, een reus tenslotte, en hoe kon hij begrijpen dat ik binnensmonds excuses mompelde. Ik hield mezelf voor dat ik het diertje niet moest aanraken, dat mijn geur de ouders zou afschrikken, maar 'ouders' was een raar woord om te gebruiken in relatie tot een duivenjong. Het was een afzichtelijk beest: de vleugels waarmee het zwaaide waren niet meer dan misvormde stompjes, zijn veren niet ontwikkeld, de pennen blauwachtig, zijn roze huid had – dat was mijn schuld – kippenvel. Ik keek om me heen naar de andere balkons, zoekend naar de moeder, maar hoorde alleen de ochtendspits, het bellen van een tram. Er waren geen andere duiven in de buurt. Mijn overbuurman kwam gapend en in boxershort zijn woonkamer binnen, ging pontificaal voor het raam staan en krabde zich: tijd om naar binnen te gaan. Voorzichtig wikkelde ik het duivenjong in een trui en droeg die op mijn handpalm naar binnen – het was bijna onmogelijk de metalen deur met maar één hand open te krijgen. Het ding was aangeprezen als karakteristiek en klemde inderdaad op karakteristieke wijze, maar het had moeite gekost deze studio te bemachtigen, klein en onpraktisch maar met uitzicht, 's winters ijskoud door de hoge, haast industriële ramen van enkel glas, een draak van een huisbazin maar een mooie houten vloer. Ik legde het dier met trui en al in een mandje, keek ernaar. Het keek terug met domme, kille ogen.

'Heb jij honger?' vroeg ik, op een babytoontje, 'heb jij hónger?' Ik wist niet dat een dier zo verwijtend kon kijken. Toch voelde ik iets in me opwellen wat je als tederheid zou moeten omschrijven, het kuiken was zo hulpeloos en toch zo van zichzelf overtuigd met zijn zwaaiende stompjes, en ik zwoer dat ik het zou redden.

Inmiddels is de hospita bezorgd over mij, ze vraagt me: 'Eet je wel?' Ze doet me aan mijn moeder denken, zo voorzichtig als ze om me heen schuifelt. 'Eet je wel?', wat een vraag. Mensen lijken het te ruiken, ook als ze het niet weten, ze zijn voorzichtig, vriendelijk, maar houden afstand zoals je zou doen met een gewond dier, je weet niet of het zal uithalen. Ik hoef hun vriendelijkheid niet, die is onverdiend. Ze vermoeden een of ander verdriet, zo omzichtig als ze tegen me praten.

Gisteravond belde Peter. Ik heb niet opgenomen en de telefoon niet uitgeschakeld, hoewel het ding telkens opnieuw overging en ik elke keer weer schrok van het schelle geluid. Ik heb Peter leren kennen in een derdejaars werkgroep taalfilosofie, hij had lang haar en zwarte, veel te zachte ogen. Hij was beter in discussies dan in bed, maar in beide gevallen te luid; hij droeg een waxjas die hem niet paste, naar hij zelf zei op een ironische manier, 'als het ware tussen haakjes'. We hadden in de werkgroep Wittgenstein behandeld: de onmogelijkheid van een taal die alleen refereert aan de gevoelens van de spreker en dus door niemand anders kan worden begrepen, de aantrekkingskracht van het principieel ontoegankelijke. Misschien omdat Peter zelf bij voorkeur in clichés sprak ging hij maar door over die privétaal, ik keek toe hoe hij praatte en dacht het geluid erbij weg.

Toen ik geen antwoord gaf zei hij dat ik onsportief was, onvoldoende academisch, hij frummelde aan de sluiting van mijn bh. Als alle filosofen was hij erg onhandig. Om zich een houding te geven stak hij een sigaret op, de rook gaf mijn meubels een morsig randje. Hij praatte nog een halfuur door, tot ik hem uiteindelijk mijn kamer uitzette. Dat was vijf jaar geleden, sindsdien is er weinig veranderd. Peter snapt niet waarom, hij is een betweter maar wel bezorgd en altijd vriendelijk, ik daarentegen ben grillig en wispelturig, zeg nu eens het ene, dan het andere, vlucht naar hem toe en erger me, vlucht van hem weg en ben verloren. Dat komt niet door Peter, hoewel hij dat wel denkt. Voordat alles misging liet hij doorschemeren dat ik nu maar eens een beslissing moest nemen, dat iemand als ik tevreden zou moeten zijn met een vangst als hij. Hij zei er niet bij waarom, of wat dat betekende, 'iemand als ik' of 'een vangst als hij', ik dacht aan de puistjes in zijn nek en zei niets.

Ik lieg.

Ik mis zijn onhandige lichaam, de dromen die hij heeft – want onder de toon en opgeblazen taal die hij als filosoof wel moet gebruiken schuilt een verlangen naar simpel geluk, naar meubels van Ikea en een kind. Hoewel zijn droom mij angst aanjaagt is het vleiend dat hij mij daar een plaats in gunt, me daar normaal genoeg voor vindt, nog wel. Maar dromen verlopen, vergaan na enige tijd, en het zal niet lang meer duren voor hij iemand anders zoekt om naast de Billyboekenkast te plaatsen, omdat ik de telefoon niet opneem als hij belt, omdat ik aan zijn puistjes denk als hij het over liefde heeft of iets wat daarvoor kan doorgaan, omdat ik hem niet kan aanraken als hij huilt en hij huilt vaak, hij zegt 'ik weet niet wie je bent, waarom ik nog blijf komen', dan kijk ik uit het raam en later gaat hij weg. Al dat gevoel van hem is angstaanjagend. Het dreigt me te verpletteren als ik hem te lang in mijn buurt laat, en dus jaag ik hem weg voor hij zijn thee heeft opgedronken, verdwijn ik halverwege dagjes uit. Ik doe alsof ik niet hoor dat hij mij roept, maar als ik dan alleen ben wil ik terug, wil ik zeker weten dat hij nog steeds zijn armen naar me uitstrekt. Ik wil weten of zijn gezicht verandert als hij mij ziet, want soms vraag ik me af of ik nog iemand ben, of er iets in mij over is wat echt is en werkelijk van mij.

Toen Gone nog praatte richtte ik me op haar aanwezigheid;

toen ze daarmee stopte werd haar afwezigheid de zin van mijn be-staan, een queeste. In het begin was ze alleen maar gefrustreerd toen haar woorden langzaam, één voor één wegvielen, haar wereld kleiner werd. Daarna pas werd ze woedend. Ze was altijd al snel verontwaardigd, maar deze aanvallen waren anders, angstaanja-gend. Er zat iets in haar wat zich met kracht naar buiten drong, zo nodig dwars door haar huid heen. Ze heeft misschien nooit echt gehoopt op hulp van mij – ik was en bleef de jongste – maar juist daarom raakte ik bezeten van het idee dat ik haar zou kunnen red-den. Ik was haar andere helft – als ik geen oplossing wist, wie dan wel? Vergeet niet dat ik van jongs af aan was opgevoed met papa's verhalen over vermissingen en sterfgevallen, zoektochten en hel-dendaden. Als ik lang genoeg zocht zou ik het wel vinden, de sleu-tel, het antwoord op het raadsel, de draad waarmee ik Gone uit het doolhof zou kunnen halen, en dan zou iedereen zien hoe bijzon-der ik was. Ik begon haar voor te lezen. Ik probeerde haar, over-dreven articulerend, voor te doen hoe ze de woorden moest uit-spreken, ik zei keer op keer 'kip' of 'tafel' of 'zusje', terwijl Gone nors probeerde langs of dwars door mij heen te kijken en als ik me echt niet liet negeren zelf de kamer uit liep.

Ik miste haar. 's Avonds lag ik in mijn bed naar haar te kijken en vroeg ik me af waar ze gebleven was, wat er zich nu afspeelde ach-ter haar voorhoofd. De dagen werden saaier, omdat zij altijd onze spelletjes had bedacht maar zich nu terugtrok. Ik probeerde wel met haar te spelen, dezelfde spelletjes die we eerder hadden ge-daan, meestal gebaseerd op papa's verhalen. We waren prinsessen in een oorlog, zeevaarders die langs een monster moesten, of de helden die het monster moesten doden. Maar er was niets aan nu Gone niet meer zei 'en dit is ons paleis en toen legde ik hier een draad en toen gingen we dood'. Ik had haar fantasie niet en zij deed niets meer, keek me alleen maar aan, minachtend dacht ik, als ik ten slotte moe en verveeld ging zitten omdat ik in mijn eentje het spel niet van de grond kreeg. Voor mij bleven mijn boeken over. Voor mijn zusje mijn vader. Wanneer ze mij negeerde ging ze naar hem toe, naar de werkkamer die hij nooit afsloot omdat dat niet nodig was: het was maar al te duidelijk dat je daar alleen op uitnodiging welkom was.

Terwijl papa stierf en Gone wegkwijnde probeerde ik een vliegende rat in leven te houden. Ik durfde mijn kamer niet te verlaten uit angst dat de duif mij nodig zou hebben en ik er niet zou zijn, dat het dier zou sterven als ik er niet was. Op het moment zelf leek het zo logisch. Als ik de duif redde, die zomaar op een avond in mijn leven was gevallen, zou alles toch nog goed komen. Simpele magie. Ruilhandel. Ik was tenslotte opgegroeid met de zin 'stel dat' in mijn oren. 'Stel dat deze school een labyrint is.' 'Stel dat papa een koning is.' 'Stel dat Gone er niet meer zou zijn.'

'Stel dat het wáár is?' Meer dan wat anders was het die zin die ons aan papa bond. Mijn moeder heeft geen fantasie, dat heeft ze zelf altijd gezegd, met iets van trots, ze zegt: 'Iemand moet er toch voor zorgen dat het eten op tafel komt?' Dingen die ze niet kan zien maken haar ongemakkelijk.

Ik zou haar moeten bellen, had dat al lang geleden moeten doen. Ik had haar met de verhuizing moeten helpen, want natuurlijk wil de school het huis voor veel geld gaan verhuren nu de docent klassieke talen annex conciërge 'er niet meer is', zoals ze dat zeggen. Ik kijk naar de telefoon op tafel en blijf liggen. Het is niets voor mij om Clarissa nu in de steek te laten, dat zal me niet worden vergeven, niet door haar, niet door mezelf: het past niet bij de brave dochter die ik ben of dacht te zijn, toen Gone er nog was.

Nu is er niets meer waar ik me tussen moet wringen of tegen verdedigen.

De wereld ligt voor me open.

Ik kan doen wat ik wil.

Ik kan doen wat ik wil.

Ik herhaal het als een mantra, maar mijn stem klinkt verbaasd en ongelovig. Ik zou niet weten wat het is dat ik wil, de vrijheid is angstaanjagend en al evenmin heb ik, zoals Peter, een droom om mijn leven in te richten. Ik pas niet naast de Billyboekenkast, ik heb het recht om daar te zijn, in die idylle thuis te komen, verloren door wat ik heb gedaan, heb nagelaten. Dus blijf ik liggen, luister naar de golven die weggaan en weer terugkomen. Staar naar de telefoon die niet meer rinkelt en wacht. Uren-, dagenlang.

*

De onmogelijkheid om iemand anders in mijn lichaam binnen te laten. De onmacht om een taal te vinden die nog niet van mijn vader is, een taal die mijn verhaal vertellen kan. Omdat de bestaande woorden ontoereikend waren en hij alleen op ons, zijn dochters, kon hopen om hem te bevrijden, of om tenminste zijn gevangenis van taal te delen. Mijn vader stal mijn zusje, mijn zusje stal mijn vader. Het heeft iets passends dat ze tegelijkertijd verdwenen zijn. Het heeft zo moeten zijn, zeggen ze dan, alsof dat iets oplost. Alsof zij dat weten.

Papa vertelde ons graag dat je vroeger altijd maar kleine stukjes bloot zag, vroeger: een hand, een pols, een bleke enkel – en dat je juist uit die fragmenten een volmaakt geheel kon maken, naaktheid met de perfectie van een standbeeld, stenen, ongenaakbaar beeld. Zo klein als we waren beseften we dat hij die ongenaakbaarheid niet had, dat hij geen schaal, geen schil had als de andere volwassenen. Wanneer hij moest lesgeven, al was het aan een brugklas, kon hij uren door de kamer lopen, een paar passen de ene kant op, een paar passen de andere. Het hout kraakte onder zijn schoenen en eens in de zoveel tijd konden we hem lang en geërgerd horen uitademen. De klassieke talen kregen door de jaren heen steeds minder ruimte in het rooster en dat liet papa steeds meer tijd om te ijsberen en zich gepijnigd af te vragen hoe hij de schaarse tijd dit keer zou besteden. Hij zei 'ze zakken weg, de klassieken, hm, ze breken. Ze hebben eeuwen overleefd, Vergilius, Homerus, maar nu breken ze onder onze onverschilligheid, de treurigheid daarvan', hij zei 'wat kun je die kinderen ook verwijten, hm, ook wij kunnen de discipline van de Grieken niet meer aan', hij zette zijn bril op het puntje van zijn neus en zuchtte 'the horror, the horror'.

Hij zuchtte omdat alle woorden hopeloos tekortschoten om over te brengen wat hij echt wilde zeggen, niet precies genoeg waren. Daarom was hij zo blij als een kind wanneer hij een nieuwe, vreemde taal leerde; hij verzamelde nieuwe klanken voor dezelfde dingen, zoals toen hij er in New York achter kwam dat manchetknopen daar *cufflinks* heetten en hij er maar over doorging dat dat woord zoveel beter paste om de beklemming rond je polsen aan te geven en dat harde, puntige gevoel van de knoopjes. En dat hij dat woord misschien wel, lang geleden, had gekend maar het vergeten was tot hij die winkel binnenstapte en het daar plotseling weer was, zo vertrouwd als een oude vriend die hij na jaren weer ontmoette, hij was zo blij.

Het was na Wenen ons tweede uitje samen, ditmaal had ik betaald. Achteraf weet ik niet meer wat ik dacht dat papa in New York te zoeken had, hij had Amerikanen altijd al cultuurbarbaren gevonden. Maar ik was trots op mezelf toen ik hem het uitgeprinte e-ticket voor zijn verjaardag overhandigde. We dachten dat papa hoognodig moest ontspannen: de black-out die hem in de klas had overvallen schreven we toe aan stress, het zou hem goeddoen zich voor even ver van de school te verwijderen. Achteraf pas bleek dat hij het toen al wist en alleen ons niets had gezegd. Hij schutterde met het ticket, zijn eerste uitdrukking was er een van pure schrik. Ondanks al mijn goede bedoelingen voelde ik iets van leedvermaak toen hij onzeker vroeg of Gone dan niet meeging en mijn moeder hem in zijn zij porde: 'Leuk hè? Vind je dat nou niet lief van Ismeen?' Hij zei 'ja, ja, ja natuurlijk' en glimlachte plichtsgetrouw.

Hij greep de stoelleuningen vast toen het vliegtuig opsteeg, hij had niet eerder gevlogen. In het hotel vroeg hij onzeker of dat niet veel te duur was en bij elke menukaart zag ik hem zoeken naar het goedkoopste gerecht. In het MoMA bekeken we de beroemde haai, hij was toen al een keer vervangen. Andere toeristen fotografeerden het dier, zoals het levenloos dreef in de vloeistof die zijn vorm moest bewaren, ze staarden naar zijn nutteloze tanden, simuleerden angst en lachten. Ik keek naar mijn vader die naar de haai keek.

Hij zag er breekbaar uit: het was alsof hij uit zijn lichaam was gevallen.

Even leek hij te wankelen en moest hij zich vastgrijpen, maar de arm die ik hem aanbood weerde hij geërgerd af. Hij zei, als ik hem tenminste goed verstond: 'Nooit kan een man rampzaliger in de dood zijn, dan wanneer de dood zelf doodloos zal zijn', hij had altijd dat soort citaten bij de hand. Ik vroeg wat hij bedoelde, maar hij antwoordde niet, staarde alleen als gehypnotiseerd naar die haai. Het blauwige licht scheen op zijn gezicht. Een jongen in een skatebroek poseerde naast het bassin, hij hief zijn armen en balde zijn vuisten om zijn spierballen te tonen. Papa keerde zich om naar mij: 'Laten we alsjeblieft hier weggaan.'

Ik bood hem een kop koffie aan, maar hij schudde zijn hoofd. Op weg naar het hotel zei hij niets meer en toen ik hem de dag daarop wegbracht naar het vliegveld, hem uitzwaaide waar ik niet verder mocht, had ik het vreemde gevoel dat ik hem nooit meer zou zien.

Niet zo lang daarna stapte de ziekte die al in hem zat naar buiten om voortaan de honneurs voor hen beiden waar te nemen, kreeg een naam, werd papa, organiseerde zijn bestaan.

De avond voordat hij zou sterven zette ik voor het eerst in weken de televisie aan en zag een skelet dat op mijn zusje leek. Het duurde een volle minuut voor ik doorhad dat zij het inderdaad was. De walgelijke grijns van de presentator, de arts aan tafel die, hoewel hij natuurlijk niets met zekerheid kon zeggen, zei dat het 'erop leek dat ze in levensgevaar verkeerde, in deze fase van een hongerstaking kon het elk moment gebeuren', het studiopubliek gespannen en weldoorvoed. George nam niet op toen ik hem belde, het was laat op de avond.

Ik ben in de beschadigde auto te snel naar hen toe gereden, nu was ik niet meer trots omdat ik dit soort dingen deed, zo'n auto kon besturen. Wilde ik haar redden, of wilde ik op het laatste moment toch nog een poging hebben gedaan? Natuurlijk zou mijn moeder bereid zijn de zorg voor haar op zich te nemen, maar het was precies dat, een gewicht dat ze op haar rug zou meeslepen. Later zou Clarissa aan mij vragen wat ik dacht tijdens die nacht, ze zei: 'En jij begreep het allemaal zo goed, ik dacht dat jij alles begreep.' Sinds die tijd heb ik haar niet meer gesproken. Ik begrijp niets meer, zeker niet mijzelf.

Ik heb de weg afgelegd die ik eerder ook had gereden. Er was weinig veranderd, het bos langs de weg was even donker, de weg zelf niet zo heel veel drukker dan toen we haar wegbrachten, maar achteraf verbeeld ik me dat er iets in de lucht hing, een dreigend gonzen. Pas vlak bij de villa werd het drukker, op de heuvel stonden televisieploegen en er liepen mensen met fakkels. Doodstil stonden ze, het flakkerende vuur omhoog geheven, de dreiging daarvan. Veel van hen waren in het wit gekleed, dat had te maken met de onschuld, maar ik moest denken aan de Ku-Klux-Klan, al helemaal toen George op het bordes verscheen. Hij werd bekogeld en verdween weer. Ik dacht dat hij me had gezien en daarom ben ik uit de auto gestapt, via de achterkant van het huis naar binnen gegaan. Ik vond Gone in de kamer die hij voor haar had gemaakt, met stapels verrot eten naast haar bed. Ze lag heel stil, en even dacht ik dat ze al gestorven was. Die geroemde veelzeggende ogen zeiden mij niets en omdat er niets te zeggen viel ging ik uiteindelijk weer weg, verliet haar zonder om te kijken.

George heb ik niet gezien, hoewel hij mij op de monitoren moet hebben opgemerkt. Langs de demonstranten, langs de journalisten ben ik naar buiten gelopen, ik heb niets gedaan en niets gezegd, mijn ogen hield ik gericht op de auto. Ik ben weer ingestapt, heb mijn veiligheidsgordel omgedaan maar ben niet weggereden. Door het raampje staarde ik naar de vertrokken gezichten van de betogers, ik hoorde het fanatisme waarmee ze om Gone riepen. Niet zo heel veel later liep het uit de hand, kreeg de cadans van hun geroep schrillere uithalen. Het was een soort implosie, hoe de massa zich in zichzelf samentrok en daarna pas uitbarstte, zich verspreidde en zich op de deuren stortte.

Ik zag het gebeuren en zette de muziek harder, bleef zitten toen ze de deur van de villa stuksloegen en naar binnen drongen. Het leek me dat ik droomde, dat ik wakker zou worden nog voordat papa ziek werd en dat we verder zouden leven zoals we altijd gedaan hadden.

Nog voordat alles voorbij was ben ik weggegaan. Ik heb de auto bij de villa laten staan en ben verdwaasd naar het station gelopen waar ook verspreide groepjes demonstranten stonden, ontnuchterd als op de ochtend na een feest. In de trein praatten mannen over een geslaagde bankoverval. Ze klonken bewonderend, 'zes daders en geen een gepakt, zo moet je dat dus doen'. Toen ik thuiskwam heb ik de duif opgepakt, zijn vleugels waren niet volgroeid. Het dier piepte angstig toen ik het oppakte, iets duisters stak diep in mij de kop op. Zijn lijf was warm in mijn handen. Ik ben naar het balkon gelopen en heb gekeken naar de bewegingen beneden ons, de trams, de fietsers en de auto's. Heel lang ben ik zo blijven staan, het werd kouder en uiteindelijk ook donker. Toen liet ik de duif naar beneden vallen en keek toe hoe hij kleiner werd, verdween. Ik zou graag zeggen: ik liet hem vallen voordat ik wist wat ik deed, maar natuurlijk is dat niet waar. Er was geen geluid toen hij viel.

Clarissa vond het dode lichaam van mijn vader toen ze 's ochtends kwam om hem te wassen. Ze is naast hem in bed gekropen tot de verpleging hen, ik weet niet hoeveel later, aantrof en mij opbelde.

Ik had erover nagedacht hoe ik zou reageren als ik het bericht kreeg, had verwacht dat ik zou gaan huilen, op mijn knieën zou vallen omdat ik niet in staat was om rechtop te blijven staan. Maar ik bedankte de beller beleefd en pakte mijn tas, geordend, methodisch. Toen ik in het hospice kwam zat Clarissa nog altijd met opgetrokken knieën op zijn bed, haar haren verward, haar gezicht verfrommeld. Ze hadden ons gewaarschuwd dat het nu snel kon gebeuren, zo zeiden ze dat, eufemistisch. Ik had niet geluisterd en was er niet bij geweest, ik had nog te veel vragen die nooit waren beantwoord, mijn vader kon niet sterven. Het is toch gebeurd.

Je lichaam was licht geworden, je huid droog. Ik keek toe hoe mijn handen mechanisch je haren kamden. Ik was voortdurend bang dat ik je pijn deed. Nooit eerder had ik je zo aangeraakt.

Voordat Clarissa wegging, boog ze zich nog een keer over je heen om het haar van je voorhoofd te strijken.

'Trek hem niet een van die blauwe onderbroeken aan, daarvan zit het elastiek te strak. Die boxers vond hij aan het eind veel lekkerder zitten, daarin hangt het allemaal een beetje meer.'

'Ja, mam.'

Ze stond daar maar, midden in de kamer met twee plastic tassen in haar handen. In haar nette kleren deed ze denken aan een zwerfster, binnenshuis verdwaald. Ik heb haar bij haar schouders vastgepakt en zachtjes de gang in geduwd, tot ze uiteindelijk op eigen kracht verder liep. Toen ben ik met haar meegelopen, twee trappen af en langs de receptioniste met haar begrijpende glimlach naar de uitgang, waar de rokers zaten met infusen in hun arm.

'Nu kun je er een opsteken.'

'Nu kan dat, ja.'

Ik had gehoopt op grote laatste woorden uit jouw mond, iets waar ik me aan zou kunnen vasthouden, maar het was stil gebleven. Je had geen waarheid voor me in de aanbieding, of als je iets gezegd hebt hoorden wij het niet, omdat we er niet waren – uiteindelijk was je alleen. De verzorgster zei dat we onszelf niets moesten verwijten, ze zei: 'In boeken en zo wachten ze altijd op de familie, maar eigenlijk wachten ze juist vaak tot iedereen weg is, dat niemand ze meer tegenhoudt om de deur achter zich dicht te trekken.' Je had je hoed gepakt en was verdwenen zonder nog naar ons te zwaaien. In dit droge lichaam was jouw leven gestold, anders dan dit zou je nooit meer worden. Ik had nog nooit een dode gezien of aangeraakt en af en toe bekroop me een oeroude paniek en was ik bang met je alleen te zijn. Want het lijf dat hier nog lag was een bedrieger; het nam je vorm aan, maar daarbinnen was er niets meer van je over, een koude, lege holte.

Je had gezegd: 'Ik word graag door mijn dochter weggebracht, alleen door haar.' Misschien dacht je aan Gone, maar natuurlijk werd het mijn taak. Ik had niet durven protesteren. Er was al een schort voor mij gebracht en handschoenen, en alle andere benodigdheden voor jou, waaronder, tot mijn schaamte, een incontinentieluier. De verzorgster was vriendelijk, ze vroeg of het wel ging.

Ik knikte met opeengeperste lippen. Achter mijn rug had ik mijn handen tot vuisten gebald. Het was zo'n kordaat, moederlijk type van middelbare leeftijd en ik wilde tegen haar aan kruipen en verdwijnen, ik wilde dat ze wegging voor ik uit elkaar zou vallen – als je niet wilt huilen moet je je ogen wijd opensperren, hoorde ik Gones stem –, maar ze bleef in de deuropening staan en keek naar me, aandachtig en met schuin gehouden hoofd. Ze zei: 'Pas op als je het laken over hem heen legt, pas op voor zijn gezicht. Hij heeft geen spierkracht meer, niets meer wat hem bij elkaar houdt als het ware. Zelfs zoiets lichts kan hem beschadigen.'

Toen ze wegliep – 'Je kunt me altijd roepen, het is eigenlijk beter zoiets met z'n tweeën te doen' – ademde ik diep in, sloeg de deken weg en begon je pyjamajas los te knopen. Ik schaamde me intens; het kostte lange tijd voor ik de moed had om je broek naar beneden te stropen. Met moeite kreeg ik een plastic onderlegger onder je stuitje – je was zwaarder dan ik had gedacht. Ik drukte op je buik en er gulpte een golf urine naar buiten.

Onwillekeurig deinsde ik achteruit naar een hoek van de kamer. Beheers je, zei ik tegen mezelf, tel tot tien, tot honderd, honderdduizend, hij is er niet meer, hij ziet niet wat je doet. Het machinale lichaam, de onverschilligheid van die domme, fysieke processen. Ik verving de onderlegger door een nieuwe en pakte het washandje. Ik waste voorzichtig je gezicht, daarna je lichaam. Zo snel mogelijk, maar opnieuw onhandig, deed ik je de incontinentieluier om, ik durfde niet te kijken. Ik knipte je nagels, reinigde je neus, je oren. Over de luier trok ik je een boxershort aan, daarna een van je ribfluwelen broeken, overhemd, pullover en jasje. Ik ondersteunde je kin met een opgerolde handdoek, om te voorkomen dat je mond open zou vallen. Ten slotte sloot ik je ogen, maar de uitdrukking die overbleef had niets van slapen.

Ze zijn kort na elkaar begraven. Er was de gebruikelijke ongemakkelijkheid, het soort obsceniteit dat je alleen aantreft rond de dood, wanneer de vraag naar het soort broodjes dat besteld, de rouwkleding die gekocht moet worden ieder echt gevoel verdringt in een golf van hysterisch gegiechel. Trudy was de enige die hen nog wilde zien, ik dacht iets triomfantelijks te horen toen ze mij vroeg of het kon. Ze droeg haar gebruikelijke lappen, voor de gelegenheid in het zwart, als een slagschip kwam ze binnen. 'Hij ligt er zo mooi bij,' snufte ze, 'ik vind het allemaal zo erg.' Ik dacht aan mijn moeder die door zijn dood overvallen leek, erdoor uit elkaar viel – plotseling begreep ik de uitdrukking 'iets niet kunnen bevatten': het verdriet was te groot voor haar huid. Zelf voelde ik niets, ik functioneerde mechanisch, efficiënt, ik nam aan dat de klap voor mij nog zou komen. Ik hoopte erop. Tot die tijd sprak ik met de begrafenisondernemer en met het schoolbestuur, ik verstuurde rouwkaarten en belde met de bank. Ook George stond op de kaart – die mogelijkheid hadden we al besproken toen hij Sieg kwam opzoeken en Gone meenam, hij had gebloosd toen we het voorstelden en barstte uit in een van de nerveuze lachjes die diep uit zijn keel leken te komen, verbazingwekkend hoog voor zo'n dikke man. Na alles wat er was gebeurd had ik zijn naam van de kaart willen schrappen, maar Clarissa had geprotesteerd: 'Het was zijn enige familie.' Ze zag er verschrikkelijk moe uit en ik gaf mijn verzet al snel op.

Op papa's begrafenis waren maar weinig mensen. Een man van school die papa altijd als een gladjakker omschreven had. Een paar collega's, geen leerlingen. George kwam niet naar de begrafenis, hij werd nog ondervraagd. Clarissa bracht hem sinaasappels. Ze zei 'het is misschien maar beter zo, ze zou het niet kunnen begrijpen', ze had Gones beschadigde lichaam in haar armen gewiegd. Ik had van een afstand naar haar gekeken, hoe ze daar met haar dochter zat als een hedendaagse piëta, haar gezicht op dat moment sereen en haast gelukkig. Later probeerde ik haar vast te pakken, maar ze ontweek me.

'Hoe weet jij wat ze had kunnen begrijpen?' vroeg ik, maar daarop antwoordde ze niet.

Soms droom ik, niet omdat ik heb besloten te gaan slapen maar omdat mijn lichaam het overneemt en me dwingt te stoppen met denken. Ik ben bang om te dromen, maar het is fijn om niet meer in mijn hoofd opgesloten te zijn, niet te hoeven luisteren naar mijn hart dat op hol geslagen is, klopt als een razende, als een ontsteking. Als ik slaap droom ik dat ik naar de villa toe ga, dat ik uit de auto stap, naar Gone loop en dat jij daar bent en naar mij luistert.

Je hoeft niet bang te zijn, zeg ik, ze slaapt. Ze is niet dood, nog niet, al weet ik niet hoe lang iemand in leven kan blijven als ze zelfs niet meer wil inademen. Ik denk dat de lucht te zwaar voor haar is, dat ze bang is dat met de lucht de wereld in haar binnendringt, maar misschien is dat alleen mijn eigen angst. Want wat kan ik nog doen behalve naar haar kijken, naar haar uitmergeling, naar alle ruimte waar ze niet meer is, naar alle zachtheid die ze niet meer heeft, naar al het vlees dat ze in bot heeft omgezet, de scherpte die ze van zichzelf heeft gemaakt. Naast haar ben jij zo sterk, weet je zoveel, lijk je zo krachtig en in control. Tegelijkertijd weet ik nog terwijl ik droom dat het niet klopt, dat ik een rare wachter ben, pratend tegen een dode om de dood te verjagen. Je bent al weg terwijl ik je nog steeds verwacht, wacht tot je naar binnen stapt om ons te redden. Maar je hebt nooit van een happy end gehouden.

Ze is zo licht.

Ze is zo licht dat ze er bijna niet meer is, alsof zelfs de eenentwintig gram die een ziel schijnt te wegen haar lichaam al heeft verlaten. Straks gaan we naar buiten en ik zal haar dragen. Haar hoofd valt naar achteren, haar armen hangen slap naar beneden. De botten van vogels zijn hol en alleen daarom kunnen ze vliegen. Ik draag haar de kamer uit, de zware deur valt met een zacht geluid dicht. Daarna de lange, donkere gang door, mijn stappen zullen galmen op het marmer. Ze weegt zo weinig als een kind; ik zal haar moeiteloos tillen, voorzichtig de trap af. Ik houd me niet vast. Ik loop rechtop en zal niet struikelen, hoewel het tapijt op de trap allang is versleten, de traproeden los liggen. We lopen langzaam, trede voor trede, naar beneden, langs de portretten van statige heren. Alleen de camera's kijken ons na. Eén keer schrik ik van onze reflectie in een spiegel, maar ik draag haar en ik weet dat ik niet mag omkijken. Ik zal de draden volgen die ik eerder heb uitgelegd, ik zeg tegen mijn zusje 'ik weet de weg' en aan haar ademhaling denk ik te horen dat ze mij begrepen heeft. We gaan een trap af en nog een trap op en eindelijk, eindelijk komt er meer licht; het plafond van de hal heeft grote glas-in-loodramen, in geel, rood en blauw, en het is een geluk om daar te staan, het zonlicht op mijn huid te voelen, mijn zusje in mijn armen, er is zo veel licht. Ik adem diep voor ik de klink pak van de zware deuren, de metalen greep laat zich maar moeizaam naar beneden drukken en ik moet oppassen dat Gone niet valt. Hoewel ze haast niets meer kan wegen is ze plotseling heel zwaar geworden, alsof ze stenen heeft gegeten en ik kan haar niet meer dragen. Maar vlak voordat ze valt komt ze tot leven, schokkerig, alsof ze zo'n danseresje is in een muziekdoos, ze heft haar hoofd op en plotseling kan ze weer staan. Ze wankelt en weer ben ik bang dat ze valt, maar dan vindt ze haar evenwicht. Ze spreidt haar armen en begint te draaien, eerst moeizaam en mechanisch, maar dan lijkt ze zichzelf te vinden, ze draait en achter haar zie ik mijn vader staan.

Hij kijkt naar haar en straalt, hij beweegt zijn handen alsof hij haar draaien dirigeert, sneller en steeds sneller beweegt hij, en terwijl we daar staan groeien er draden uit zijn vingers en de draden trekken aan Gone, wikkelen zich om haar heen als ze niet snel genoeg beweegt. Ik zie dat ze in paniek raakt en ik wil naar haar toe gaan, maar de draden versperren me de weg en er komen er steeds meer en ik roep naar mijn vader, maar ik heb geen stem en hij blijft dirigeren, hij is dolenthousiast, hij glimt ervan en dan valt Gone en ze valt uit elkaar, ze valt in stukjes op de grond en ik probeer haar op te rapen, ik denk, we moeten haar toch lijmen en papa is verdwenen en ik zit daar op mijn knieën maar de belangrijkste stukjes vind ik niet: er zit een gat in haar gezicht.

Dan word ik wakker, ben ik hier en is het nu, moet ik de wereld weer zo klein zien te maken dat ik er niet meer door overweldigd word. Verder dan deze kamer kom ik niet. Vanuit mijn bed zie ik de krantenknipsels van mijn zusje uitgespreid over de vloer. Ik heb de hospita verboden om hier schoon te maken, langzaam hoopt het stof zich op, in dit huis van na de dood pers ik mijn vrijheid, druk haar samen tot ze tam wordt. 's Ochtends hoor ik de hospita in de keuken; redderen, dat is wat ze doet. Ik luister naar de geluiden die ze maakt. Eerst de deur en dan het sloffende geschuifel van pantoffels over het linoleum op de gang. De trap. Het koffiezetapparaat, de elektrische sinaasappelpers, bestek dat kettert op een bord. Soms fluit ze, vals maar vertederend. Ik luister zoals ik vroeger naar de geluiden van mijn moeder luisterde, terwijl ik opgekruld tegen Gone aan onder de deken lag, de wereld buiten onbelangrijk terwijl de geur van koffie en croissantjes langs het trapgat naar boven kwam en het langzaam later werd. Er zijn geen woorden, geen gedachten. Er zijn alleen de dingen als ik wacht totdat ze komt.

George

Toen was hij alleen met haar, Ismeen uitgezwaaid nadat hij erop had gestaan haar de kamer te tonen waar Gone zou slapen, haastig min of meer in orde gemaakt, geïmproviseerd. Hij was onzeker of het goed genoeg was, groot genoeg, de goede kleuren, hij weet niets van vrouwen en van hun behoeftes, hij is te lang alleen geweest. Ismeen verzekerde hem dat het in orde was, 'helemaal prima, straks wil ze hier nooit meer weg', toch had ze duidelijk moeite met weggaan, aarzelde nog toen ze de autodeur al dichtsloeg, het raampje na het starten van de motor toch nog naar beneden liet schuiven: 'Als er iets is kun je me altijd bellen, altijd.' Hij wist niet of hij haar nadruk als een belediging moest opvatten, stak zwijgend zijn hand op ten teken dat ze weg moest gaan.

Het was een opwelling geweest haar zijn auto te lenen, de behoefte om een groot gebaar te maken. Vaders deden dit soort dingen, scheen het, sloegen hun dochter op de schouder, stopten hun handen in hun zakken, gaven haar iets waar ze verlegen van zou worden, een huis, een boot, een auto. Een spiksplinternieuwe Dodge Nitro, *built for those who live one step from ignition every second of every day.* Natuurlijk had hij haar gewoon volgens plan naar de trein kunnen brengen, maar het idee om haar daar met haar rugzakje achter te laten maakte hem somber – het beeld van de wegrijdende trein, de rails die in de verte verdwenen.

Siegfried zou deze auto nooit kunnen betalen en daarom zou hij erop neerkijken, intellectuelen zoals hij hadden geen onderbuik, konden het diepe grommen van de motor niet waarderen. Dat zijn dochter er nu in wegreed was een triomf voor George. Hoewel hij zich kwetsbaar voelde zonder de auto, naakt: het ding, zwart met geblindeerde ramen, was zijn gestaalde huid. De auto stelde hem in staat om te bewegen. Stond hem toe alleen te zijn, en ergens naar op weg. Het was belachelijk zo'n auto mee te geven aan een meisje van in de twintig dat hij nog niet eerder had gesproken en van wie hij vermoedde dat ze een nerveuze rijstijl had – handen om het stuur geklemd, hortend optrekken, afslaande motor, dat werk. Maar vaders deden dat soort dingen en hij stelde zich graag voor hoe dat zou zijn, vader zijn van een volwassen dochter, lachte erom. Hij zei: 'Een kras in mijn lak is een kras in mijn ziel', om duidelijk te maken wat hij hier zomaar aan haar meegaf, hoeveel hij haar toevertrouwde, en Ismeen had zenuwachtig gegiecheld.

'Ik maak geen grapje. Ik vermoord je als er iets met die wagen gebeurt. Of je zusje natuurlijk, ik heb hier tenslotte een gijzelaar.' Daarna had hij weer naar haar gelachen, maar zij niet meer naar hem en ook zijn knipoog zag ze niet.

Op de heenweg had hij af en toe omgekeken naar de twee meisjes – vrouwen – op de achterbank. Hand in hand zaten ze, als kleine kinderen. Soms ving Gone zijn blik op en staarde ze hem doordringend, bijna woest aan, dan keek hij snel weer weg. Over haar gezicht gleden de schaduwen, de lichten langs de weg. Als een dier zat ze naast haar zusje en één keer was hij bang dat ze, zoals een dier zou kunnen doen, naar voren zou springen. Het was haar blik, de manier waarop ze in haar ogen – zat, zou hij bijna zeggen, klaar om naar hem uit te vallen, hoe ze naar hem staarde, geconcentreerd en niet gehinderd door wat hoorde. Maar wie kon weten wat ze voelde en of ze in paniek was, of ze de auto uit wilde, terug naar haar vader; soms las je die verhalen, honden die honderden kilometers lopen om naar huis te gaan, jaren blijven wachten als hun baas al is gestorven. Je zag dat ze niet selecteerde, geen onderscheid maakte in wel of niet belangrijk, interessant, ze bekeek álles, ze keek intens. Misschien was het daarom dat hij zich in eerste instantie niet ongemakkelijk had gevoeld in haar gezelschap, hoewel hij ertegen op had gezien om haar te ontmoeten. Ze keek niet anders naar hem dan naar de andere mensen en dingen in de kamer, Siegfried nauwelijks zichtbaar onder de beddensprei, Ismeen en Clarissa leunend op de stoel in de hoek van de kamer, te onrustig om te kunnen blijven zitten. Gone was star en stokstijf in het midden van de kamer blijven staan. Haar haren waren nat alsof ze net gedoucht had en ze leek een mannenoverhemd te dragen. Het was een zeldzaamheid dat ze was meegekomen om haar vader te bezoeken, had Clarissa wat verontschuldigend gezegd. Sinds Siegfrieds ziekte had Gone niet meer willen eten, had zich teruggetrokken op zijn werkkamer, zat daar met die papieren bouwsels om haar heen verspreid. Later pas zou ze zich aan hem vastklampen en niet meer loslaten. Hij had zich vreemd gevleid gevoeld, zoals je dat kunt zijn wanneer een valse hond alleen jou accepteert, en zo was het gekomen dat hij haar nu naar zijn huis reed. Natuurlijk ook omdat hij nog steeds een zwak had voor Clarissa, hoewel ze niet meer wisten wat ze met elkaar aan moesten. Toen hij daar in het hospice een gesprek met haar wilde beginnen had hij gemerkt hoe ongeoefend hij was: niet alleen wist hij niets te zeggen, maar zelfs de spieren van zijn mond bewogen trager dan hij wilde, onbeholpen. Later, toen hij wegging, weer het ongemak: haar uitgestoken hand, zijn stap naar haar toe, haar zoen in de lucht, de zijne te dicht bij haar mond.

Om dat te vergeten had hij hard en onbeheerst gereden, hij zag dat Ismeen bang was, soms op de achterbank naar voren schoof, op het punt stond er iets van te zeggen. Ze hield nadrukkelijk de snelheidsmeter in het oog, soms toeterde hij voor de lol, als hij een bocht om ging. Dan schrok ze, Ismeen, niet haar zusje, die bleef rechtop zitten en wankelde nooit, alsof er een gewicht lag in haar borstkas, een zwaartepunt waar ze omheen bewoog. 'De villa,' vertelde hij terwijl hij zich omdraaide naar Ismeen, 'ligt op een heuvel, afgezonderd van het dorp, in de torenkamers kun je de rivier beneden zien. Het is een oud huis dat kraakt als het waait, stukken pleisterwerk bladderen van de gevel af. Een klimop wurgt de stenen.' Ze knikte en staarde naar de weg voor hen, ze had het huis natuurlijk allang gezien op tv. Misschien hoorde ze aan zijn stem dat hij op de beschrijving had geoefend. Bij *Het Geheim* hadden ze daar steeds op gehamerd, 'je moet je eigen redacteur, je eigen regisseur zijn. Er is geen tijd voor schattig zijn en voor geaarzel: we willen details over wat jou speciaal maakt, wat is je unique selling point?' Hij zei tegen Ismeen: 'Deze auto heet Nitro, afkorting van nitroglycerine, gele, explosieve vloeistof, gebruikt in dynamiet.'

*

Hij heeft altijd al geweten dat hij geen held zou worden. Daarvoor had hij niet het juiste uiterlijk, wel was hij vroegrijp. Anderen dromen decennialang over hun eigen opmerkelijkheid, zijn ervan overtuigd dat juist zij boven de massa zullen uitsteken en eeuwen later nog zullen worden herinnerd. Pas als ze oud zijn en gerimpeld, de mislukking hun als peper in de ogen is gewreven, pas dan willen ze toegeven dat het 'er toch niet om gaat succesvol te zijn'.

Hij daarentegen wist van jongs af dat zijn uiterlijk hem zou beletten om zelfs maar aanzienlijk te worden. Op straat werd afkeurend gekeken naar zijn opgeblazen gezicht, het T-shirt dat zo strak over zijn vetrollen spande dat er voortdurend een stuk blote buik overbleef, hoewel hij de stof steeds opnieuw naar beneden trok. Waar de rollen op elkaar drukten ontstonden in de zomer smetplekken. Hij speelde nooit: zijn lichaam was zo al te zwaar om te dragen. Hij liep niet, hij waggelde. Zijn benen werden uit elkaar gedrongen door zijn eigen vlees. Hij rende nooit, voetbalde niet, knikkerde niet, omdat hij niet in staat was voorover te buigen. Er was trouwens niemand anders om mee te knikkeren. Voor zijn broer was hij veel te jong. Sieg moest hem niet, schrokte 's middags zijn eten naar binnen, rende naar hun moeders orchideeënkas en liet hem achter. Tot zijn zesde hobbelde George kwispelend als een hondje achter hem aan, verafgoodde hij Siegfried en sprak voortdurend over hem in zijn taaltje van halve zinnen.

'Boer,' zei hij. 'Ik heb boer.'

'Broer,' verbeterde zijn moeder hem dan scherp, haar mooie ge-zicht vertrokken van ergernis. Ze had hem zijn bestaan nooit hele-maal vergeven, dat zag je aan haar afkeer, het genoegen waarmee ze hem zo nu en dan, wanneer de situatie het toeliet, een klap gaf, hoe ze daarna haar handen afsloeg en ze waste.

'Hij is een echte zoon van zijn vader,' zei ze aan de telefoon te-gen vriendinnen, ze zei: 'Ik doe mijn best, maar ik ben ook geen heilige.'

Ook zijn vader – een dikke, grijze accountant die in kolommen dacht – beschouwde hem niet als zijn zoon, maar die merkte hen geen van drieën op; hij at zijn vlees en las de krant, beter had hij ei-eren gelegd, als een reptiel. Anders, pijnlijker was de onvoorspel-bare kilte van zijn moeder, die in dezelfde kamer kilometers ver weg kon zijn, niets liever wilde dan vertrekken uit het lintdorp on-der de rook van een fabriek die ijzererts en koolstof omwerkte tot vloeibaar ijzer, waar de hitte werd opgestookt totdat het materiaal de hardheid van metaal bereikt had. Alle warmte, al het leven had zich opgehoopt daar in het hart van de fabriek waar dingen wer-den omgesmolten, uit elkaar getrokken en veranderd, zodat alleen het koelwater voor het dorp overbleef, voor de huizen die in exact dezelfde grijze kleur waren geschilderd als de buitenste huid van de fabriek, voor de mensen die moesten leven op restwarmte.

Restwarmte was waar George' leven op neerkwam. In de klas al zag hij duidelijk hoe zelfs de juffrouw vol walging haar ogen af-wendde als haar blik toevallig de zijne kruiste. Hoewel hij altijd het antwoord wist gaf ze hem nooit een beurt, streek ze nooit over zijn haar zoals ze dat soms deed bij anderen. Eén keer boog ze zich over hem heen, kwam ze zo dicht bij hem dat hij haar parfum kon ruiken, de glanzend blonde haartjes op haar armen zag, maar zo-dra hij naar haar opkeek deinsde ze terug. Het was niet expres en dat maakte het erger, dat ook haar 'pas van de pabo af'-goede be-doelingen niet in staat waren haar dicht bij hem te houden, haar zo naar hem te laten lachen als ze lachte naar de anderen. Pas toen hij een tv-programma over zwarte gaten zag begreep hij wat er in zijn lichaam zat en dat het licht daarin verdween.

Toch bleef hij fantaseren. Over haar en andere vrouwen, over hoe teer ze waren en hoe zacht hun huid. Zo'n vrouw zou naar lavendel ruiken en haast doorschijnend zijn, ze zou een blauwe jurk dragen die opwaaide wanneer ze over het strand naar hem toe rende, omdat hij haar gered had van een schurk; 'o George' zou ze zeggen en flauwvallen in zijn armen. Tijdens de pauzes las hij graag Bouquetromans op de wc's, die vies en stinkend waren en te nauw voor hem, de grijze deuren volgekrast met dingen die hij net niet helemaal begreep. Als hij zich op het plein vertoonde kwamen de jongens uit hogere klassen, die één voor één probeerden hoe diep hun vuisten konden zinken in zijn vet. Hij liet het toe omdat het niet de moeite was zich te verzetten, keek toe hoe schriele jongetjes zich helden waanden. Pijnlijker was het schrille gekrijs van de meisjes, een troep opgeschrikte vogels die kwetterden dat hij zo stonk. De stilte keerde even terug als hij er een afzonderde en met zijn volle gewicht tegen de muur drukte. Hij kon haar borstjes voelen tegen zijn eigen, vollere borsten. De paar seconden dat zijn huid de hare raakte was hij als een man die heel even boven water kwam om een teug lucht te halen. Sommigen schreeuwden, sloegen vergeefs en zwakjes tegen zijn bovenarmen. Anderen verstarden, hun ogen wijd opengesperd, hun lichaam slap. Heel even kon hij zo blijven staan, zich inbeelden dat dit zijn meisje was en dat ze van hem hield, dat ze haar haren voor hem had ingevlochten, haar ogen voor hem had opgemaakt. Het duurde nooit lang. Dan liet hij haar abrupt los, draaide zich om, liep langzaam, langzaam weg. Liet haar tegen de muur staan, waar de andere meisjes naar haar toe renden, troostend en altijd bereid de sensatie te vergroten, zelf slachtoffer te worden of anders degene die het dichtst bij het slachtoffer stond, die er het meest van wist en er op belangrijke toon over kon fluisteren, de anderen bezwerend het geheim te houden, 'ze is erg gekwetst'. Samengetroept krijsten de vogels zijn rug na.

Als hun gejoel zich in zijn oren drong of als hij met boterhammen werd bekogeld, streelde hij de wraak, bepotelde haar in het donker. Later werd het een gewoonte. Hij wist dat hij er recht op had om als de held in een western de deuren met een klap open te gooien en de tafels om te smijten, zijn moeder zei: 'Ik heb dit leven niet verdiend, die jongen.' Ze zei: 'Ik kan veel aan, maar dit.' Ze vroeg of hij haar dood wilde, hij zweeg en keek strak naar zijn voeten. Zijn wraak was een zwart beest in de nacht, donker tegen een duistere achtergrond, een dier dat hij kon roepen, strelen en weer wegjagen, en als hij niet de wraak aanhaalde keek hij rond, drentelde wat in zijn leven heen en weer, vergaapte zich. Knutselde wat met computers omdat vensters geen ogen hebben en om dezelfde reden filmde hij soms de wereld om hem heen, die meer in leven leek dan hij: niemand ziet de man achter de camera. Hij bleef thuis wonen omdat hij niet wist waar hij anders heen moest. 's Avonds richtte hij zijn camera op het verlichte venster aan de overkant, waar de buurvrouw zich voor de spiegel uitkleedde, zorgelijk haar slappe buik bekeek en hij zei: 'Dag mam.'

*

Hij is niet dom.

Hij zag zijn kans toen de borden op straat verschenen, in grote rode letters op een zwarte achtergrond: HET GEHEIM VAN HET MONSTER. Hier had zijn moeder hem voor opgeleid. Er kwamen verontwaardigde artikelen op de opiniepagina's: een villa voor degene die als laatste overblijft, het monsterlijkste monster. Alle anderen zouden het huis met lege handen verlaten, lege handen en een verwrongen grijns, omdat Het Geheim chantage, dreiging en bedrog toestond om openbaar te maken wat niemand wilde zeggen, het eigen geheim te bewaren, de oorlog te winnen. 'Zo anders is het niet dan het normale leven,' zeiden de makers van het programma, 'mijn leven is toch ook, ik zeg maar wat, ik heet Annet van Leeuwen, dan is mijn hele leven toch ook de Annet van

Leeuwen-*experience*, maar dat is toch daarom nog geen Truman Show? Het is *reality*, dat is het, en daar moet je dus gewoon wel tegen kunnen.'

Desondanks keken de mensen van de casting – paardenstaart, laarzen, overenthousiast Goois accent – George ongelovig aan toen hij de ruimte binnenkwam, hoewel ze hem toch hadden uitgenodigd op grond van zijn brief met foto.

'Ik ben lelijk,' had George geschreven, 'ik breek alle wetten van de televisie. Spiegels breken als ik erin kijk. Kijkers zullen moeite hebben hun ogen van mij af te wenden, zullen kijken, wegkijken, opnieuw kijken. Ze zullen lachen. Ze hebben altijd al om mij gelachen. Ik weet hoe de mens is. Ik lach ook, als laatste.'

Hij paste nauwelijks door de deur van de studio, zag de castingdames wegkijken en wist dat hij gewonnen had.

Er was geen complot en niemand had het roer in handen, er was geen strategie, althans geen waar hij zich van bewust was. Losse opdrachten. Briefjes. Ingevingen in de videokamer waarvan niemand wist waar ze vandaan kwamen, dat wel. Maar geen vooropgezette uitkomst, geen grote regisseur, was het maar waar. George is gewoon zelf zo. Zo onmenselijk, schreven de kranten. Zo walgelijk, schreven de bloggers, dis hem, riepen ze op de fora met uitroeptekens.

'Ik houd me aan de regels van het programma,' zei George terwijl hij recht in de dagboekcamera keek, en hij herhaalde zachtjes: 'Ik houd me aan de regels. Ik doe wat van mij wordt gevraagd: ik pest. Ik pest en jullie kijken. Als schapen kijken jullie.'

Kort nadat hij zijn handen om de hals van de keurige Margarita had geklemd en zij snikkend haar geheim had prijsgegeven, psychologische hulp werd beloofd, riepen de kijkers hem unaniem tot winnaar uit. Wat volgde is bekend: de prijsuitreiking, de reusachtige kartonnen nepcheque. De verliezers die zich verbeten en glimlachend zeiden dat er maar één winnaar kon zijn, dat het programma hun toch veel had opgeleverd, dat ze al van diverse kanten waren benaderd. Dat het er toch niet om ging succesvol te zijn.

Anders dan George had verwacht voelde hij geen triomf. Hij had ernaar gesnakt zijn geheim bekend te maken, zelfs op de laatste dag, maar hij was niet in staat geweest om te verliezen. Nu werd de website van het programma bezocht door vrouwen die met hem dweepten – 'jij bent de beste, voor eeuwig je slaaf' – en door vijanden – 'vetklomp, ga op de heide wonen en houd verder je bek, je bent NIET belangrijk, vetkwabbes'. Maar meer aanwezig dan die haat was het besmuikte giechelen, de blikken tussen presentatoren onderling, de knipoog van de presentator naar het onzichtbaar toekijkende tv-publiek. Wanneer hij voor een uitzending werd opgemaakt voelde hij de walging van de visagiste dwars door haar maniertjes heen, een barst in haar make-up. Hij deed alsof hij niets merkte en wist dat hij daarom voor dom zou worden uitgemaakt, hij zei hardop 'ik heb een dikke huid' en murmelde 'een dikke huid?' Hij lachte.

Na zulke uitzendingen reed hij 's avonds of 's nachts terug naar het huis dat nu van hem was, een kleine drie uur rijden, bijna niemand op de weg. De middenstrepen hadden een hallucinerend effect, één keer reed hij een konijn dood.

Iedereen had willen weten hoe hij het gedaan had, wat hij met het geld ging doen. Hij zei: 'Ik weet het niet.' Hij zei: 'Het ging me niet om geld.' Hij zei: 'Een goed doel misschien, zielige kindertjes of de obesitasvereniging, weet ik veel', en: 'Als je dat weten wilt, dan moet je blijven kijken, blijf me volgen op de website.' Als laatste onderdeel van het programma zou de winnaar worden gefilmd in zijn pas betrokken villa, 'hoe het monster zich nestelt, dat willen we ook nog wel weten'. Maar ook niet al te graag: anders dan *Het Geheim* zouden deze beelden alleen online te zien zijn, een *live stream* zou het zijn, en hij stelde zich voor hoe zijn leven stroperig en zwart naar buiten stroomde; hij keek altijd al graag naar olierampen, het gapende gat in de romp van het schip, verdrinkende vogels en vrijwilligers met blonde paardenstaarten. Zoiets, zo ontzagwekkend zou hij best wel willen zijn, wat moest hij anders worden. De mensen van de omroep waren verdwenen, een stam die verder trok. Ze hadden de camera's in het huis achtergelaten, gezegd 'je hoeft er niets mee te doen, maar het kan wel als je dat wilt, het is jouw feestje nu' – zijn aansprakelijkheid hadden ze allang geregeld en hij dacht aan dat feestje en wachtte tot de gasten zouden komen.

Zijn moeder was al lang dood, zijn vader was kort voor het begin van het programma overleden, geruisloos ineengezakt in bad en verdronken, hij had hem zelf gevonden. Ook dood had de man nog een buikje en zijn huid was grijs, zijn pik stond spottend rechtop, stak een zielig eindje boven het water uit. Hij had verwacht dat hij zou moeten huilen als hij wees werd, maar hij voelde niets, zelfs geen afschuw. Hij heeft het bad leeg laten lopen en de man het water uit getild. Het was niet gemakkelijk, de armen en benen van de dode waren onhandig en log, zijn natte huid was te glibberig, het zou een goede scène zijn geweest voor een komedie. Een tijdje lang heeft hij hem naakt zo laten zitten, half tegen de muur geleund.

'Dag pa. Daar zitten we dan.'

De roze bloemen op de badkamertegels staken schril af tegen de starende blik van de dode. De huisarts was gekomen en had de dood bevestigd; het was een knappe jonge vrouw die vroeg of ze iemand voor hem kon bellen. Ze had bruine ogen met gouden spikkeltjes erin, ze keek hem recht aan toen ze hem condoleerde. Hij bood haar koffie aan en hoopte dat ze bij hem zou blijven zitten. Even zag hij de contouren van een toekomst en levenslang geluk, maar toen hij de kopjes op tafel zette ging haar pieper af en ze zei dat ze weg moest: 'Weekend, altijd druk.'

Hij vroeg zich af of ze daar een code voor hadden, artsen, zoals escortgirls, om elk moment weer weg te kunnen. Die vraag begreep ze niet. Ze had haar jas gepakt en was weer veranderd in de efficiënte dokter, de handdruk waarmee ze hem sterkte wenste had niets persoonlijks meer. Even was hij op de drempel blijven staan, toen had hij zijn broer gebeld, het was al avond. Siegfried ademde scherp in toen hij het nieuws hoorde, bleef toen lange tijd stil. Hij toonde weinig enthousiasme om te komen, zei dat hij het te druk had en vroeg of hij het niet zelf kon regelen – 'Wij zitten met Gone, begrijp je.'

Zwijgen. George drukte de hoorn vaster tegen zijn oor aan. Hij wist dat hij geacht werd meewarig te hummen en te vragen hoe het ging, maar hij zei: 'Voor mama kwam je wel.'

'Wat heeft dat ermee te maken?'

'Ze zou het gewaardeerd hebben als je nu ook iets deed.'

Dat was zo erg níet waar dat het grappig werd, maar hij zei het toch, om dezelfde reden waarom hij vroeger zijn opvallend rode brandweerauto altijd tergend traag naar Siegfrieds helft van de kamer had geschoven. George keek naar het morsige tapijt waarop hij zat. Hij had zijn vader voorgesteld het te vervangen, maar die had dat geweigerd. Het huis was langzaam vergaan na de dood van hun moeder, de tuin overwoekerd.

'We komen natuurlijk naar de begrafenis.'

'Uiteraard.' Hij kon het niet laten. 'Families moeten elkaar toch af en toe zien. Altijd gezellig rond de kist, of wat zeg ik, het haardvuur.'

'Is er een dag geprikt? Voor mij zou zaterdag het beste zijn.'

Siegfrieds afgemeten stem was een glad oppervlak dat hem uitnodigde door te gaan, zijn broer open te krabben tot die stem anders zou klinken, ruwer.

'Ik zal het papa vragen, of hij een gaatje heeft in zijn agenda.'

Aan de andere kant van de lijn hoorde hij zijn broer zwaar ademen. Het klonk zoals de schelp waarin de zee zat toen hij nog een jongetje was, heel soms hadden ze daar samen naar geluisterd, de schelp nog warm van het oor van de ander, totdat Siegfried gezegd had dat het onzin was, de schelp had weggelegd en nooit meer opgepakt. Zo was hun moeders godenzoon geleidelijk verschrompeld tot een betweter die zich verbeet en boze brieven naar de krant schreef. Zijn grote broer. Soms betrapte hij zich erop dat hij 's nachts tegen Sieg praatte: 'Ik had alles kunnen worden, jongen, ik wilde het gewoon niet. En alsof jij het zelf zo goed gedaan hebt: leraar, nou, nou. En een achterlijk kind bovendien.' Om het stil te krijgen in zijn hoofd moest hij nu nog iets zeggen, hij moest iets zeggen zoals hij als kind tegen de meubels aan moest schoppen en nu groef hij naar iets wat kloppend was en rood. 'Hoe is het met je vrouw, Sieg?' vroeg hij, 'hoe is het met je mooie vrouw?'

Toen had hij neergelegd.

Alleen de telefoon had hen de afgelopen jaren nog verbonden, zijn broer met hem en de schimmen van ouders in het morsige huis waaruit alleen Siegfried vertrokken was, maar blijkbaar toch ook niet helemaal. Sieg belde altijd 's nachts, het tijdstip waarop je op de televisie zo'n uitzending van treinen had waarbij niet werd gesproken; de camera zat voorin bij de machinist en zo kon je zien hoe de trein zich vooruit boorde, hoe de bielzen één voor één verdwenen, het was aangenaam daarnaar te kijken, in een trance te raken. Op die momenten belde Siegfried, dronken, en eiste hun moeder te spreken. Ze was al jaren dood, jong gestorven zoals ze zou hebben gewild, ze was erg goed als stervende, het was jammer dat het niet langer had geduurd. Al sinds Siegs vertrek was er iets in haar gebroken, dronk ze meer en zei ze minder, nam ze niet eens meer de moeite George te slaan, en op een dag was het voorbij, ze schoven haar de oven in en weg was ze, een mooie dag was dat, een die hij zich herinnerde. Maar Siegfried blijkbaar niet, hij belde 's nachts en klonk scheef, uit het lood geslagen, hij zei: 'Ik mis je, ik weet niet hoe ik het doen moet, leven, hoe ik ervoor kan zorgen dat het goed gaat, alles gaat zoals het moet, ik weet niet hoe het moet.' En één keer: 'Het is zo fijn dat ik nu niet meer voor mezelf hoef te leven, dat alles wat ik ben of moet zijn onbelangrijk is geworden, dat alles nu om de kinderen draait, ik ben zo blij dat ik niet meer hoef te willen leven, de opluchting daarvan.'

George hield de hoorn op enige afstand, steeds viel het hem op dat er te veel roze in het huis was. Boven kon hij hun vader horen snurken, op zijn oude dag was hij luidruchtig geworden. Hij had een modelspoorbaan aangeschaft, die liep op zolder, dag en nacht ging het ding door. Op zeker moment zou Siegfried stoppen met praten en beginnen te huilen, 'waarom zeg je niets?' Ook dan zou George niets zeggen. Hij was het niet naar wie Siegfrieds stem zocht. Hij begreep niet waar zijn broer, die alles had, over kon klagen, hij had een vrouw en kinderen, wat kon hem zo wanhopig maken, vroeg hij zich af wanneer hij terugliep over het verende, vuile tapijt dat alles wat levend was dempte, het geluid van de doorgaande trein boven hem. Het gezwelg in emoties leek de achterkant van Siegs pedanterie, of iets wat door de naden daarvan barstte, maar noch het sentiment noch dat pedante paste bij de jongen die vroeger zo'n belofte had geleken, zijn broer. Op een dag was hij zomaar verdwenen, zijn bed netjes opgemaakt, zijn spullen weg, hun moeder met rood behuilde ogen. Er werd niets gezegd, geen verklaring gegeven. Hij kwam nooit meer terug.

*

Na enkele weken was de stroom van uitnodigingen langzaam opgedroogd, daalde het bezoekersaantal van zijn website angstaanjagend snel, en hij wist niet wat hij kon doen, kleedde zich uit voor de camera en danste moeizaam tot hij dacht dat hij een hartaanval zou krijgen, maar het hielp niet. Hij krijste in de gangen tot hij schor was, maar hij wist dat ze niet meer naar hem zouden kijken – al zijn uitwassen waren volgens verwachting, hij zou dood moeten gaan om hun aandacht te trekken. Ook zijn mobieltje rinkelde nooit meer, en hij dacht eraan om zelf iemand te bellen maar hij wist niet wie, heel soms toetsten zijn vingers bijna Clarissa's nummer in. Op andere dagen keek hij vijf, veertien, dertig keer per dag naar het schermpje om te controleren of hij geen bericht gemist had. Welkom, zei het schermpje tegen hem, welkom, en hij gooide de telefoon door de kamer. Maar niet te hard en niet tegen de muur en er ging niets kapot en na een halfuur pakte hij het ding weer op en keek opnieuw, maar niets. Wel ontving hij nog veel e-mails van personeelsverenigingen en bijna-vijftigers, verzoeken om feesten op te luisteren met zijn volumineuze aanwezigheid, de toon aarzelend tussen beleefdheid en jolige jongens-onder-elkaar. Hij verwijderde ze beledigd van zijn laptop, stelde zich voor hoe de berichten keer op keer met nullen overschreven werden. Heel af en toe nog een vraag die hem deed opleven, een tv-programma dat terugkeek op het voorbije nieuws of een tijdelijke sidekick nodig had, telefoontjes die leidden tot een plotselinge uitbarsting van activiteit. 'Authenticiteit,' hadden ze tegen George gezegd, 'dat willen mensen nu. Iets echts – die uitwassen, dat gaat vervelen en zeker nu, nu alles omvalt. Ze hebben een behoefte, honger zeg maar, en die stil jij niet.' Hij kon niet geloven (maar het was zo en dat wist hij, hoewel hij het niet weten wilde) dat hij zomaar uit hun leven was verdwenen, dat ze eventjes met hem hadden gespeeld en hem daarna net zo achteloos weer losgelaten, dat hij nooit verder was doorgedrongen dan tot de buitenste rand van hun bestaan.

Ze hadden toch van hem gehouden, genoeg om hem te kunnen haten.

Hij heeft een bed gemaakt voor Gone, de kamer in het midden van het huis voor haar ingericht; je moet een trap af en daarna twee trappen op om er te komen. Hij heeft de afstand expres zo groot mogelijk gemaakt, het doet hem goed om door het huis te kunnen dwalen zonder plotseling door haar gestoord te worden. Wat de camera's opnemen wordt zichtbaar op de monitoren in de kelder waar hij nu bivakkeert. De controlekamer, noemt hij het spottend, want het ene scherm hangt vlak naast het andere en alle muren hangen vol. Soms kijkt George de beelden terug en ziet hij zichzelf, een stukje van zijn haar of soms alleen zijn rug of schoenen. Meestal staat hij slechts in het voorbijgaan op die beelden; af en toe drukt hij met opzet zijn neus plat tegen het glasachtig lichaam aan. Er ontstaat dan een vettige afdruk die hij later met zorg weer wegpoetst. Voorlopig woont hij hier, zal hij hier blijven wonen, Gone boven in haar kamer, buiten zijn bereik. Het bevalt hem; de naaktheid van het huis, het idee dat hij zoals een beest een hol heeft, zich als een beest heeft teruggetrokken uit de wereld. Hij gaat bij voorkeur 's nachts naar boven en zwerft dan door de rest van het huis dat, zoals de locatiemanager inmiddels heeft onthuld, werd uitgezocht omdat het 'zo'n lekkere creepy gothic stijl' had. Het is nooit helemaal stil. Soms kraakt het hout – dat van de vloerplanken in de kamers of anders wel een van de ietwat kromme deuren die moeilijk sluiten en zelfs als ze gesloten zijn de neiging hebben om te blijven kieren. Op andere momenten denkt hij dat hij iets hoort lopen, misschien een muis achter de plinten, of er begint een waterkraan om een onverklaarbare reden te druppelen, eerst langzaam en dan steeds sneller tot het weer stopt. Hij is niet bang. Soms schreeuwt hij in de leegte van het huis. Afhankelijk van de plek waar hij zich bevindt kan hij zijn stem in zwakke echo's horen terugkomen. Eén nacht dacht hij het zwarte beest te zien, in een gedeelte van het huis waar hij maar zelden komt: twee koortsachtig glimmende ogen die hem zwijgend aanstaarden boven een wolfachtige snuit. De volgende dag bleek het beest een ingebouwd marmeren wastafeltje met spiegel te zijn.

'Soms schrik ik,' had hij in de auto gezegd, omdat ze toch iets moesten zeggen, 'van mijn eigen spiegelbeeld.'

'Maar niets is angstaanjagender dan dat,' antwoordde Ismeen pedant. Hij wilde de auto van de weg af rijden om te zien of ze zou gillen. Hem zou het niets uitmaken, soms verlangde hij ernaar: de tijdelijke gewichtloosheid, dan de klap en dan de stilte, misschien een wiel dat nog even blijft draaien en kort daarna de vogels die weer beginnen te zingen, luid en onaangepast.

'Gone is niet gewend om van huis weg te zijn. Misschien wordt ze boos, of hysterisch. Als je niet meer weet wat je moet doen, kun je natuurlijk bellen voor hulp.'

'Natuurlijk.' Het had prettig geroutineerd geklonken, vond hij zelf. Het klonk als iemand die dagelijks praatte. 'Moet ik je moeder bellen? Of je vader, is hij meestal goed bij kennis?'

Kijk aan, het bleef stil, er was iets ontregeld. Ismeen had opzij gekeken alsof ze steun verwachtte van haar zus, een onwaarschijnlijke figuur om wat dan ook van te verwachten. Toen ze een gezicht trok alsof ze probeerde een drol eruit te persen, had hij gewacht op haar verontwaardiging, de hoge poten en het grote gelijk dat Siegfried in de afgelopen jaren moest hebben gevoed en aangemoedigd. Het temperament van een roodharige, neurotisch en verstopt. Hij vroeg zich af of ze een vriendje had. 'Mijn vader is prima bij kennis, maar ik weet niet –'

'Of hij mij wil spreken, natuurlijk, natuurlijk.'

Daar was de andere kant, het brave meisje dat voor haar beurt gesproken had, altijd de beste van de klas, precies als Siegfried had ze dat verbetene, maar tegen zijn verwachting had George medelijden met haar, medelijden met haar gebalde vuisten, haar vooruitgestoken kin, alles wat in haar trilde. Het was vreemd om familie te hebben, een 'nichtje' te hebben dat bij hem kwam logeren. Hij stelde zich voor dat ze samen koekjes zouden bakken, langs de rivier lopen en al die andere dingen doen die ooms deden met hun nichtjes, vaders met hun dochters, hij wist zo gauw niet wat, maar wel dat hij het warmer kreeg wanneer hij eraan dacht.

'Je moeder dan?'

Het was Clarissa die hem belde met het nieuws. Het was een dinsdagavond, hij keek naar een opname van *Het Geheim* en verveelde zich, toen ging de telefoon. Haar stem trilde, ze zei: 'Hij is ziek, George', hij dacht aan haar borsten, maar niet aan die van nu. Hij herinnerde zich hoe ze vroeger was, toen ze haar blonde haren nog in een paardenstaart droeg en een zwart pakje aanhad omdat haar schoonmoeder werd gecremeerd.

Het had hem verbaasd dat zijn broer zo'n vrouw gevonden had, eentje die naar hem lachte en vroeg wat hij deed. 'Een serveerster,' was alles wat Siegfried vooraf over haar had gezegd, 'speling van het lot dat we elkaar überhaupt hebben ontmoet.'

Toch had hij verwacht dat ze verwaand zou zijn, en meer zoals zijn broer; hij had een knotje en een bril verwacht en een citroen in haar achterste, maar ze had taart gegeten en een klein toefje slagroom was in het kuiltje boven haar lip blijven hangen – er was veel te veel eten voor de paar mensen die de begrafenis bezochten: hij, zijn broer en zijn gezin, wat mensen uit het dorp die kickten op uitvaarten – ze had niets gemerkt. Voorzichtig was hij naar haar toe gelopen en had zijn eigen vinger als een snor boven zijn lip gelegd, heel even schrok ze, haar gezicht was naakt, toen begreep ze het en lachte opgelaten. Ze deed hem denken aan een veulen, die lange, wat te grote benen, haar onhandigheid. Later was ze zo dicht naar hem toe gekropen als zijn omvang toeliet: 'Wat is het toch met Siegfried? Is er ooit iets gebeurd, iets misgegaan? Ik vraag het maar aan jou, want hij vertelt me niets.'

Hij had moeten lachen om haar naïviteit, haar overtuiging dat hij één gebeurtenis zou kunnen noemen die zijn broer gebroken had, of dat hij dat zou willen doen.

'Zo gaan die dingen. Er valt niets te zeggen.'

Meteen was ze weer van hem weg geschoven. 'Je kunt wel merken dat jullie broers zijn.'

Maar later had ze hem gebeld. Hij had weer een telefoontje van Siegfried verwacht, maar het was haar stem, aarzelend en tastend, ze klonk alsof ze uit een leegte sprak. 'Hallo' had hij gezegd, verbaasd. Hij dacht, zo gaat dat blijkbaar als je stil blijft staan, ze komen bij je terug, je wordt vanzelf een ankerpunt. Dat ze het echt gemeend had, zei ze, dat ze het echt had willen weten, en of ze een keer naar hem toe kon komen. Hij had naar het vuile tapijt gekeken, het vergeelde behang, hij had geslikt. 'Natuurlijk kan dat,' had hij gezegd. En ze was naar hem toe gekomen, nog diezelfde week. Hij had geprobeerd het tapijt te schrobben, de wanden af te nemen, zelfs het beddengoed had hij verschoond. Maar het huis was vuil gebleven en zij niet op haar plaats, onwennig, ze was erg jong. Ze had gezegd: 'Maar ik houd echt van hem.'

'Dat zijn mijn zaken niet.'

Hij zette koffie voor haar, hij controleerde of de melk niet was bedorven. Zijn vader was op zolder, het treintje liep maar door en zij keek om zich heen. Zijn handen trilden en hij zag aan haar gezicht dat ze al wist waarvoor ze was gekomen, dat deze kamer haar genoeg vertelde. Ze zou haar koffie drinken en weer bij hem weggaan. Ze zou haar tas pakken, zoals vrouwen, meisjes dat deden, en haar rok gladstrijken en hoogstens nog naar het toilet gaan, als ze durfde, en als ze terugkwam zou ze hem bedanken en hem nooit meer zien. Om dat moment vóór te zijn praatte hij, gooide hij woorden naar haar toe als edelstenen, ze hoefde ze maar te vangen, maar ze luisterde niet, ze zat op het puntje van de versleten bank en het duurde heel lang voordat hij zich afvroeg of ze iets anders van hem wilde en nog langer voordat hij naast haar durfde te gaan zitten.

Daarna kon hij, al die jaren dat hij bij zijn vader woonde, erop rekenen dat eens in de zoveel tijd de telefoon zou gaan, waarschijnlijk als Siegfried een ouderavond had of een ander ritueel dat vroeg om zijn aanwezigheid, en dat Clarissa hem zou vragen hoe het ging, en vertellen over de meisjes, hun pogingen tot kruipen en staan, hun eerste woordjes, het zwemdiploma. Hij wist niet of ze hem graag mocht, of dat het plichtsbesef was, een idee van wat familie zou moeten zijn of doen. Later hoorde hij haar wanhoop. Ze noemde Gone ongrijpbaar, haar stem klonk dun door de telefoon. Ze zei: 'Gewoon onhandelbaar zou niet zo erg zijn, maar dit', ze kon niet uitleggen wat ze daarmee bedoelde. Als hij toch aandrong stortte ze in, op het randje van huilen: 'Je bent haast net zo erg als hij, jullie trekken alles uit elkaar totdat er niets meer over is.' Het deed hem goed dat ze hem met zijn broer vergeleek. Ze zei: 'Moeders voelen dat, als er iets mis is met hun kind, maar Sieg – hij zegt dat het niet erg is.'

'Bewonder je hem, Siegfried?' had hij toen gevraagd.

'Hij weet veel.'

'Niet zoveel als hij denkt.'

'Daar heb ik geen verstand van.'

'Meer dan je denkt.'

Maar ze had schamper gelachen. 'Het is altijd leuk om met jou te praten.'

Ze was nog zo jong, ze zou Siegfrieds dochter kunnen zijn. Negentien toen de tweeling werd geboren, niet zo lang na haar bezoek. Ze zou George' geliefde kunnen zijn. 'Geliefde'. Het woord was niet op hem van toepassing.

De balletvoorstelling was lange tijd het laatste telefoontje dat hij kreeg. Ze vertelde hem hoe de meisjes zich op de voorstelling verheugden, hoe zij samen met hen de make-up had gekocht die ze op het podium zouden dragen. Ze klonk gelukkiger dan hij haar in lange tijd had gehoord en hij stelde zich voor hoe ze met de meisjes giechelend in een winkel stond, haar dochters opmaakte. De beelden waren voedsel voor hem, haar telefoontjes een infuus van kleuren, ze zou hem bellen, zei ze, om te vertellen hoe het was gegaan. Toen hij daarna zo lang niets van haar hoorde verhongerde hij langzaam. Veel later pas hoorde hij van haar wat er gebeurd was, hoe er daarna, nog veel later, een diagnose was gesteld.

Ze zei: 'Siegfried zal het wel weten, toch? Hij zal toch wel het beste weten wat we moeten doen?'

Hij had niet geantwoord.

De telefoontjes bleven komen, maar sporadisch. Ze had het alleen nog over Ismeen, haar hoge cijfers, wat de juffrouw had gezegd. Later: het eindexamen, cum laude, de universiteit, idem. De onderzoeksbaan, waar Clarissa weinig van begreep: 'Wat moet ze toch met al die boeken? Ik wil gewoon dat ze gelukkig wordt.' Hij zag haar op de begrafenis van zijn vader, ze zei: 'We lijken elkaar alleen maar in het zwart tegen te komen. Nee, serieus, gecondoleerd.' Ze zag er verloren uit. Ismeen was in het buitenland, vertelde ze, 'die heeft haar grootvader toch nauwelijks gekend'.

Hij had geknikt en naar Siegfried gekeken, die met Gone een eindje verderop naar een grafsteen stond te kijken, het meisje dicht tegen hem aan, maar het was Siegfried die bescherming leek te zoeken, hij zag er slecht uit, somber. Hij zag eruit als iemand van wie ze zeggen dat hij een hele jas heeft uitgedaan. Toen was er *Het Geheim* en steeds als George besefte dat hij opgenomen, uitgezonden werd, dacht hij aan haar, dat ze hem nu zou kunnen zien, wat ze van hem zou vinden, hij dacht aan hun geheim.

Toen hij gewonnen had hoopte hij dat Clarissa naar hem toe zou komen, buiten bij de villa zou staan, maar er was niemand, en later hoopte hij dat ze hem volgde op de website, ook al had ze nooit van computers gehouden. Hij dacht erover haar uit te nodigen, ze zouden samen kunnen toeren, maar hij deed het niet. Hij wist al dat ze niet zou komen. Naast al het andere was nu ook nog zijn geld een reden waarom ze niet bij hem kon zijn, want zo'n vrouw was ze. Principieel. Ten slotte, kort geleden, 's avonds dat telefoontje. Nog voor hij iets kon zeggen, zei ze: 'Hij is ziek, George. Hij gaat dood.'

En nu had hij bij wijze van visitekaartje de auto aan haar dochter meegegeven, die Clarissa's gezicht had maar Siegs pedanterie en al op de oprijlaan schrok toen ze optrok en de auto zijn krachten toonde, en hij wilde haar naroepen 'Nitro, van nitroglycerine!', maar naast hem stond Gone, stond stijf als een boom of een steen.

'Laten we naar binnen gaan,' zei hij, ze reageerde niet. Misschien keek ze nog steeds haar zus na, de auto die niet meer te zien was en die hij nu al miste, miste zoals hij zich voorstelde dat hij zijn hand zou kunnen missen, of zijn arm. 'Kom, ik ben ongewapend, weerloos, *unarmed*', en hij deed een stap dichter naar de zware deuren toe, maar ze bleef staan. 'Dag Gone', als tegen een hond of een kind, hij zei: 'Je vertrouwde me toch? Toen we nog niet hier waren vertrouwde je me.'

Maar nog terwijl hij zijn eigen stem bedrieglijk omhoog hoorde gaan dacht hij al, je hebt gelijk, hier zijn maakt al het verschil. Hier zijn de camera's die je tot iemand anders maken dan je bent. Hoe afgelegen de villa ligt, hoe ver van de wereld. Dit huis is erop gebouwd je verloren te maken, alle afmetingen zijn te groot, alsof het niet voor mensen is gebouwd maar voor een ander, groter ras. Misschien was dat de reden dat hij had gewonnen, dat hij als enige te veel massa had om geïntimideerd te worden door het huis. Hij herinnert zich nog hoe ze hier aankwamen als deelnemers aan *Het*

Geheim, onwennig, de organisatie had hen bewust uitgenodigd op dezelfde tijd zodat niemand een voorsprong zou hebben op de anderen en ook was het een eerste confrontatie. De meesten hadden rolkoffertjes bij zich, zelf droeg hij alleen een zwarte weekendtas, van het soort dat in films door snipers wordt gedragen. Hij vindt het fijn naar films te kijken, zich voor te stellen dat hij iemand anders is, de *cuts* en de *voice-over*. Die dag was in de herfst en waterkoud, er hing mist in het dal. Iemand mompelde iets over 'wat een spookhuis', misplaatste poging tot saamhorigheid in een format dat daar niet toe uitnodigde, later zou hij daarvoor worden afgestraft. Het had allemaal veel weg van de allereerste dag op school, hoe ze elkaar bekeken, aftastten, coalities probeerden te smeden, met dit verschil dat George daar nu geen moeite meer voor deed, er nu aan was gewend om nergens bij te horen.

Hij was lange tijd naast Gone blijven staan, de dag dat ze kwam. Zijn knieën deden pijn en hij was graag op zijn hurken gaan zitten, maar met zijn omvang kostte zoiets te veel moeite. In plaats daarvan pakte hij uiteindelijk haar hand, die koel was in de zijne. Ze keek hem lang aan, maar trok haar hand niet terug. Even stonden ze zo, terwijl de zon onderging. Het was alsof hij een bruid mee naar huis had genomen. Toen trok hij zachtjes aan haar arm en sjokte ze traag maar gewillig achter hem aan, zoals een koe zou doen.

*

In de korte tijd dat George er woont is hij genegenheid gaan voelen voor zijn villa, het lijkt hem of het huis zijn eigen innerlijk weerspiegelt. Het is een monsterlijk gebouw. Hij stelt zich voor dat de bouwer bezocht is door geesten of langzaam krankzinnig geworden, dat de man aan het huis was begonnen nadat zijn kinderen waren gestorven en er geen vrouw meer in de buurt was, weggelopen, dood of ook gek, en dat hij daarom moest blijven bouwen, elke dag een nieuw begonnen muur, een trap of een gat zomaar ergens in de vloer waar je doorheen kon vallen en voor altijd verdwijnen. Het zou de deuren en trappen verklaren die nergens toe leiden, de gangen die alleen naar zichzelf verwijzen, de ramen die nergens op uitkijken. Om die reden had de locatiescout deze villa gekozen, een kunstprogramma had hem erover geïnterviewd: 'Het is als in een horrorfilm, je krijgt nooit het overzicht te zien, dus er kan altijd een monster zijn, nog net verborgen, klaar om aan te vallen. En dat is natuurlijk wat we zoeken, ik bedoel, wij allemaal.'

'We zijn op zoek naar het monster?'

'Ja, kijk, dat is natuurlijk ook iets waar we naar verlangen, kijk naar alle grote drama's. We leggen bloemen bij de huizen, bij de scholen van de slachtoffers, maar eigenlijk vereren we het monster dat wij niet zijn, of zoiets.'

George kijkt televisie zonder onderscheid, ziet leeuwen hun prooi verslinden, ziet een ballerina dansen, politici die zich verdedigen, hopeloze demonstraties in een ander land, ziet plunderingen en gebedsdiensten, verzamelt anekdotes.

In Wales is Hitler gereïncarneerd in een huis. Het dak loopt precies zo schuin af als Hitlers kapsel, een ornament boven de voordeur doet denken aan zijn snor, de bovenramen maken een starre indruk, als Hitlers ogen. De eigenaar had nooit iets aan zijn huis gemerkt en evenmin wist hij dat wat inmiddels het Hitlerhuis genoemd werd een internetsensatie was geworden na een snapshot van een toevallige voorbijganger. Het nieuws werd hem gebracht door zijn schoondochter uit Duitsland, die op haar beurt was gewaarschuwd door haar echtgenoot die diende in Afghanistan. 'Als ik maar geen Sieg Heil hoef te zeggen als ik mijn voordeur binnenga,' was de reactie van de man. 'Soms moet je de grappige kant van het leven zien.'

Dit soort anekdotes maakt het de moeite waard om op te staan, een krant te lezen en tv te kijken, Clarissa's kostbare beeldeninfuus te vervangen door iets wat sneller beschikbaar is, 24/7 bereikbaar. Hij ziet alle journaals en alle talkshows, lacht erom: die pratende, bewegende hoofden, onbeteugelde woede voor het oog van de camera, intimiteit in de studio.

De grappige kant van het leven: een beroemde en levenslang opgesloten moordenaar mocht onder politiebegeleiding nog eenmaal zijn huis bekijken voordat het steen voor steen zou worden afgebroken om pelgrimages te voorkomen. Op de muren was met blauwe en witte verf een wolkenlucht geschilderd, een weidse lucht die je deed verlangen naar de duinen, en op straatniveau waren er grassprieten van naar schatting een meter hoog, diep donkergroen glanzende sprieten naast de stoep, onder het plaveisel het moeras en hoog boven die sprieten een vlieger. Een stenen vlieger weliswaar, maar een die aan zijn touw trok terwijl de stenen wind hem alle kanten op blies. De kindermoordenaar werd uit zijn cel gehaald om zijn huis te zien, de vlieger en de wind, het gras waarachter nu de deur schuilging. Niemand kon het huis nu nog betreden, want het was in lucht opgelost, achter een vlieger verdwenen en de moordenaar had buiten zijn gevangenis het allermooiste huis in een verder grauwe straat.

Op zoiets hoopt George.

Het huis verdient dat soort beroemdheid, het verdient hem. Soms kan hij het horen ademen, 's nachts zachtjes horen grommen. Het gaf hem plezier de andere deelnemers weg te jagen, het was kinderlijk eenvoudig en hij wist dat hij bekeken werd, voelde zichzelf groeien. Het wond hem op hoe ze voor hem wegdoken, toe te kijken hoe hun ogen kleiner werden en bijna doorzichtig van angst. Hij zou ze wegduwen, dan raapten ze zichzelf bijeen en later zouden ze opnieuw proberen bij hem in de buurt te komen, hem te behagen met hun flauwe grapjes en de geur van onderdanigheid, en het was daardoor dat hij zich ging voorstellen hoe het zou zijn iemand te doden, een serie simpele bewegingen omdat je al de sterkste bent en dan nog sterker wordt.

'Angst,' zegt hij tegen Gone terwijl hij haar kin in zijn hand houdt, 'is het beste afrodisiacum.'

Breekbaar is ze, dat staat vast, één beweging van zijn hand zou genoeg zijn, een snelle draai en niemand zou het merken. Hij betwijfelt of ze zich zou verzetten. Hij laat haar los, haar hoofd schiet weg. Hij veegt zijn handen af, hij zegt: 'Ik houd niet van mensen, dat heb ik nooit gedaan. Ik heb geen hekel aan ze, maar ik houd er ook niet van.' Hij zegt dat vaak tegen zichzelf, is er niet aan gewend dat er ook iemand luistert. Iedere ochtend opent hij de zware deuren van de villa, het kost hem al zijn kracht om ze open te duwen. Dan blijft hij even staan op het bordes en kijkt naar de rivier die in het dal beneden glinstert, het kleine menselijk gebeuren in het dorp rond de rivier: de auto's die speelgoedauto's zijn, de kreten die het huis hoogstens gedempt en dof en onverstaanbaar bereiken, al het vergeefs bewegen. Vroeger schreeuwde hij soms zelf zo hard hij kon, wetend dat niemand beneden zou opkijken, maar vaker stond hij stil, hij zei: 'Welkom. Welkom, kom binnen.'

Zonder auto kost het moeite om de villa te verlaten, ook daarvoor al, de bleke gezichten van anderen, uitdrukkingsloos als handpalmen. Hij haat iedere vorm van beweging omdat dat hem laat voelen hoe traag hij is, hoe zwaar. Boodschappen laat hij bezorgen. Hij eet graag: kreeft die levend wordt bezorgd, kip die hij met zijn handen uit elkaar scheurt. Op zijn eigen langzame manier beweegt hij zich door de gangen, laat zijn handen langs de met fluweelbehang beklede muren gaan, de zware houten leuning van de trap. Soms staat hij stil bij de schilderijen die op hem neerkijken, statige heren, voorouders van hij weet niet wie. Hij drinkt sloten koffie met suiker en veel melk, kinderkoffie. Hij ligt lang in zijn hemelbed, dat angstaanjagend kraakt als hij beweegt, hij kijkt graag naar het donker.

Zijn moeder had dit moeten zien, deze vooruitgang. Ze zou de villa prachtig hebben gevonden, zij het natuurlijk ouderwets, onhandig, hoewel ze nooit iets aan het huishouden deed noemde ze dingen graag onpraktisch, onmogelijk schoon te houden. Vroeger zei ze: 'Zo wil niemand je hebben', en ze trok haar neus op, 'met dat vette vel van jou blijf je eraf, hoor je, blijf van de meisjes af want ze gaan schreeuwen.' Als hij haar het huis kon laten zien zou ze hebben gezegd: 'Dat had ik niet van je gedacht, jongetje, van Siegfried, ja, maar van jou zou ik dat niet hebben gedacht.' Dan had hij kunnen antwoorden dat ze hem altijd al onderschatte en ze zouden samen taart gaan eten in zo'n patisserie. Als hij daaraan denkt lacht hij schamper: haar in goedkoop nylon gehandschoende vingers die gebak op een vorkje schuiven, hem daarna in zijn wang knijpen. Ze had begraven willen worden met van die roze zijden ruches in de kist, ze had een witte jurk willen dragen als een maagd die verrast was door de dood.

Vroeger dacht hij dat ze hem geadopteerd had.

Wanneer de school uitging bleef hij hangen bij het hek, wachtend tot zijn echte moeder hem zou komen ophalen, hij was er zeker van dat hij haar zou herkennen. Vrouwen met een zonnebril kon hij soms stratenlang volgen, tot een van hen een hysterische trut bleek te zijn en dreigde hem bij de politie aan te geven, een gluiperd noemde en een viezerik. Maar hoe kon ze hem ook herkennen, nu hij zo vermomd was? Vermomd, zo zag hij dat: alsof zijn vetrollen deel uitmaakten van een rubberpak dat hij had aangetrokken en na de voorstelling weer even gemakkelijk kon uitdoen, maar dat hem zolang zou beschermen tegen klappen. Er was iets moois in hem dat hij wilde beschermen, hij zou niet kunnen zeggen wat, het was een ander soort mooi dan het mooi van zijn moeder. Hij was een bromvlieg in haar kamer, een vuiltje in haar oog, en toen hij de wereld wilde tonen wie hij werkelijk was, was het vet aan zijn lijf vastgekleefd en kreeg hij het pak niet meer uit.

Maar het is vreemd wat hij nu heeft gekregen, terwijl hij toch alleen maar heeft gewacht, gekeken hoe de tijd voorbijging en zelfs nooit heeft gewerkt. Zoiets wat er nooit van was gekomen, niemand ook van hem verwachtte – hij bleef thuis en dat was dat – en nu is hij begin vijftig en plotseling steenrijk. Ook de kranten hadden zich daarover verwonderd, alsof het een geslaagde gok was die hij had gewaagd, maar de werkelijkheid was dat hij niets had gewaagd, dat de dagen gewoon waren weggeglipt, zoals bij dat tv-programma van de treinen, waarin de spoorbielzen één voor één gewoon verdwenen, en het was dat verdwijnen dat hem fascineerde, niet het idee dat hij verder kwam en ook het landschap buiten niet, hij had Het Geheim gewonnen omdat hij niets te verliezen had, niets om naar terug te gaan en daarom alle geduld. Nu had hij dan, zoals ze zeiden, al deze nieuwe mogelijkheden, the world is your oyster. Maar nog lang na het programma leek het omgekeerde waar: hij was een weekdier en kon niet buiten zijn oester omdat hij bang was te verschrompelen of door iets scherps te worden verwond. Soms herhaalde hij voor zichzelf dat hij op kamers woonde, voor het eerst van zijn leven uit huis was. Iedere ochtend verwachtte hij bezoekers. Er kwam nooit iemand – enkele toeristen bleven op veilige afstand aarzelen, vanuit een bovenraam kon hij precies zien hoe ze naar de bel toe drentelden en dan weer weggingen – toch bleef hij steeds de deuren openen, de lucht welkom heten. Nu is ze hier.

Zelfs wanneer hij aan de andere kant van het huis is – 'altijd alle deuren op slot', heeft Clarissa hem bezworen, 'als ze weg is blijft ze weg' –, voelt hij nog dat hij niet meer alleen is. Ze schuifelt, beweegt zich onhoorbaar en verschijnt soms plotseling in de deuropening, onaangekondigd als een geest. Voortdurend vangen de camera's haar bewegingen op, voor het eerst is het huis echt bewoond. Hij had zich voorgesteld dat Gone bij hem wel zou willen eten, maar ze blijft voedsel weigeren. 'Het is niet voor het eerst,' verzekert Clarissa hem, maar haar stem trilt een beetje en daarom haast hij zich op zijn beurt om haar gerust te stellen.
'Het gaat wel over,' zegt hij, alsof hij de expert is waar het haar dochter betreft, 'het gaat wel over.'
Clarissa gelooft hem graag als hij dat zegt, al te graag als je het hem vraagt. Aan de oppervlakte is het een en al zorgzaamheid en doe je haar wel een jas aan en een sjaal om, zul je appels voor haar schillen en ze mag niet te laat naar bed, maar daaronder zit iets

wat hij niet thuis kan brengen. Hij heeft geleerd om goed te luisteren, hij moest wel met zo'n moeder en het had iets vreemds zoals ze Gone in zijn handen duwde, Siegfrieds protesten negeerde en haar dezelfde dag nog meegaf, al was het dan onder begeleiding van haar zusje. Ze was verbazingwekkend goed van vertrouwen en hij had willen protesteren, want wat had hij ooit gedaan om zoiets te verdienen, wat had hij het kind te bieden. Maar Ismeen en Clarissa waren eensgezind terwijl ze elkaar eerder die dag toch steeds hadden ontweken. Het was zielig zoals ze zich rond Siegs bed hadden verdrongen op zoek naar de beste plek, het dichtst bij hem, terwijl Siegfried hen allebei had genegeerd. Op de gang vertelde Clarissa fluisterend en opgelaten over wat ze met Gone te stellen had gehad, de huilbuien, het schreeuwen, 'straks schrik ik je af'.

'Maar we moeten toch eerlijk zijn,' had Ismeen aangevuld, die haar moeder de hele middag had genegeerd, geïrriteerd haar schouders had opgehaald over alles wat ze zei, maar nu dicht tegen Clarissa aan stond, een arm om haar middel geslagen, plotseling moeder en dochter.

'Ze heeft nog nooit ergens anders gelogeerd,' zei Clarissa, 'zoiets maakt haar altijd van streek, maar nu is toch al alles anders en ze mag jou, zag je hoe ze naar je keek, heb je dat wel gezien, zo bijzonder hoe ze naar je toe trekt, alsof ze begrijpt dat je familie bent.' Zo hadden ze haar in zijn handen geduwd en hij was dit keer niet achteruit gegaan, hij heeft haar als een bal gevangen, vereerd dat hij mocht meedoen aan het spel.

*

Het was niet vooraf zijn bedoeling haar te filmen, maar nu ze hier is gebeurt het, kan het ook niet anders gaan. Ze trekt het oog van de camera's naar zich toe, ze is perfect zoals ze loopt, zoals ze zich beweegt, zo vrij als ze is. Ze lijkt niet te merken dat ze wordt gefilmd en natuurlijk kan ze niet weten dat hij, hier beneden, naar haar kijkt – observeert hoe ze de trappen afrent en weer op, met één hand langs het fluwelen behang strijkt, dan weer lange tijd blijft staan voor een portret. Hij blaast ballonnen voor haar op die ze als honden aan een touwtje vasthoudt, die ze tegen zich aan klemt en dan loslaat op het bordes. Ze kijkt ze na, kijkt hoe ze zich van haar verwijderen, zich in een boom haken, traag door de lucht zweven en een steeds kleiner stipje kleur worden, ze zwaait ernaar en mompelt in zichzelf.

Tegen haar praten is eenvoudiger geworden, minder geforceerd. Ze hadden hem haar ziekte uitgelegd en hij dacht dat hij het begrepen had, maar iets veel ouders, diepers in zijn lijf kon er niet in berusten dat ze helemaal niet reageerde op zijn vragen en zijn grapjes, de moeite die hij voor haar deed. Het was zoals toen zijn moeder in coma lag en de verpleegsters benadrukt hadden dat ze tegen haar moesten blijven praten, 'want ze hoort alles'. Dat had hij betwijfeld: hun moeder had altijd alleen zichzelf gehoord, maar dit zwijgen was anders, want zonder strategie. Tegen haar praten werd zoiets als 'Is daar iemand?' roepen in een donkere ruimte. Het enige geluid dat terugkwam was dat van zijn eigen stem en in die echo hoorde hij alles wat er eerder ook al was, maar nooit zo duidelijk, de kwetsbaarheid, de angst. Het kost tijd voordat hij merkt dat Gone wel op hem reageert. Als hij tegen haar praat luistert ze met haar hele lichaam, ook al begrijpt ze niets – het doet hem goed te zien hoe ze haar oren spitst, haar hoofd opheft, hoe verwachting haar gezicht kleurt. Soms kruipt ze tegen hem aan op een manier die hem verlegen maakt.

Eén keer wordt hij 's nachts wakker van een geluid dat hij niet kent, hij was altijd al een onrustige slaper. Als hij opstaat vindt hij Gone voor zijn deur, ze staat met neerhangende armen en maakt geen geluid, bewegingloos staat ze daar. Het is alsof ze ergens op wacht, maar als ze hem ziet laat ze dat niet merken. Ze draagt een nachthemdje van een dunne, glanzende stof. Hij denkt dat het satijn is, proeft op zijn lippen het woord dat hij nooit gebruikt. Af en toe ziet hij haar rillen, dan gaat er een golfbeweging door de stof, die teer is en gemakkelijk te scheuren.

Het is later tijdens die nacht dat het idee bij hem opkomt. Misschien is het niet eens een idee, eerder een bevlieging of iets wat er al lang was en wat hij niet heeft opgemerkt, maar nu wordt het zoiets als haar ballonnen, een stukje kleur dat voor hem uit zweeft. Laatst had hij nog een oud-gevangene op de tv gezien, slachtoffer van een of ander dictatoriaal regime dat nu niet meer bestond. De man was teruggegaan, had zich opnieuw laten opsluiten, de beelden waren live op internet te zien. In korrelig zwart-wit zag je hem lijden, spijt krijgen en bonzen op de deur. Hij had geroepen en gesmeekt bevrijd te worden, maar de aanwezigen begrepen dat zoiets erbij hoorde. Ze filmden hem en hielpen niet. Pas later, toen het al te laat was, werd de deur geopend, en de man was oud geworden in die ene nacht, hij was iets hards geworden waar geluid op terugkaatste. Authenticiteit – iets echts. Iemand als Gone, die niet beroemd wil worden, die niet weet wat cynisme is of ironie. Ze volgt de regels niet, ze breekt ze niet en verzet zich er niet tegen – ze leeft ernaast. Hij zal haar volgen met de camera, beroemd maken, kwaad kan het niet: wat heeft het kind nu? Misschien kijkt er een dokter die haar kan leren praten. Iemand moet kunnen oplossen wat er dan ook is misgegaan en als hij Clarissa's dochter redt krijgt hij een rol in haar bestaan.

Ze is zo mooi.

Hij heeft haar ernstig bloemen in de binnentuin zien plukken en rangschikken op lengte, dan op kleur, knopen in grasprieten zien leggen, tekenen met de punt van haar tong uit haar mond. Dan weer is ze speels en huppelt ze door de gangen, springt plotseling achter een sofa of een harnas vandaan zodat hij schrikt en zij kijkt dan voldaan, ziet er zo grappig uit dat hij – voor het eerst in hoe lang? – zichzelf plotseling hoort lachen en schrikt van het geluid. Maar meestal heeft ze een zekere doelgerichtheid over zich, ziet hij als hij haar volgt, van camera naar camera, ze is beslist op weg ergens naartoe, alleen haar tempo is anders, trager dan dat van de meeste mensen, maar daarom des te dwingender.

Ze gaat ergens heen, hij weet niet waar naartoe, maar wel dat ze naar haar moeten kijken. Soms loopt ze om zijn lichaam heen, bewonderend, denkt hij, en dat stemt hem tevreden, ooit heeft hij zich ten doel gesteld om uit te dijen zoals het heelal. Zelf is ze al tenger, dreigt nog magerder te worden, weigert nog steeds al het eten dat hij voor haar koopt. Ze lijkt wel blij wanneer hij haar iets aanbiedt, maar misschien gaat dat alleen om het gebaar, is dat genoeg. Ze eet geen croissants, geen vlees of kaas, niet de baguettes en zoete broodjes die ze hier verkopen, ze kijkt hem alleen aan, een lachje om haar lippen, en hij zou zweren dat ze trots is als een kind, kijk eens papa, kijk eens wat ik kan. Het is de dochter van je broer, zegt hij tegen zichzelf, het is de dochter van je broer en van Clarissa. Maar hij heeft haar niet opgeëist, niemand zou dat kunnen beweren, hij heeft alleen gewacht. Tegen Gone zegt hij 'we zijn de dikke en de dunne' en zet een Laurel & Hardy-film op, ze kijkt gefascineerd naar de bewegingen in zwart-wit. Opnieuw doet ze hem denken aan een dier.

Hij heeft geen idee waarom het meisje juist voor hem heeft gekozen. Haar vastbeslotenheid doet hem denken aan de hond die hij als jongen had, de pup die hem zoveel jaar geleden al even resoluut als baas uitkoos. Hun vader had Ed meegenomen, zomaar op een grauwe dinsdagavond; de hond van een collega had een nest, verontschuldigde hij zich bijna verbaasd over zijn eigen gebaar. George herinnert zich hoe zijn vader met zijn handen in zijn zakken van een afstandje naar hen had staan kijken, een voorzichtige glimlach om zijn lippen. Hun moeder zou het dier die glimlach nooit vergeven: ze schopte Ed als niemand keek en klaagde over haren, huidschilfers en stank, hoewel de arme hond niet rook. Misschien was ze jaloers, zo was ze: een vrouw die de voordeur opende in een loshangende peignoir en voor de melkman nadrukkelijk met het puntje van haar tong langs haar gestifte lippen ging, 'de yoghurt was héérlijk deze week', één blote arm leunde schijnbaar nonchalant tegen de deurpost, haar lange vingers tikten de maat van een muziekstuk dat zij alleen hoorde. De arme man kon zijn ogen niet afhouden van haar felrode nagellak, het net niet doorschijnende hemd dat ze droeg, struikelde steevast over de flagstones als hij terugliep naar het hek.

George wist dat er over haar gepraat werd in het dorp, hoe ze welwillend een handkus accepteerde van de dansschooleigenaar, zonder ook maar één keer te struikelen haar stilettohakken op de vloer plantte en de onhandigheid van haar zoon gebruikte als decor om zelf nog beter uit te komen, zoals, zou hij later telefonisch van Clarissa leren, vrouwen vaker deden, want ook Ismeen hoorde blijkbaar steevast bij die meisjes die als een groepje satellieten om het populairste kind heen cirkelden, en precies zo hobbelde Siegfried achter hun moeder aan, hing aan haar arm, zo willoos alsof hij haar handtas was die zij kon openen en sluiten en weer wegleggen zoals het haar uitkwam.

'Ik wind ze om mijn vinger als ik wil. Er zijn er genoeg die staan te trappelen, ik kan overal terecht.' Terwijl hun moeder sprak bekeek ze haar eigen figuur in de spiegel, keurend, de handen op haar heupen, haar buik nadrukkelijk ingehouden, haar rug rechter dan gewoonlijk. Haar iets te hoge, iets te harde lach. De zware geur van haar parfum.

Siegfried zat achter haar op bed, hij staarde naar zijn handen. Zijn ogen waren zwart en zonder uitdrukking, iets essentieels leek daarin te zijn verdwenen. Siegfried was opgemaakt als meisje, zijn lippen angstaanjagend rood in dat maskerachtige, bleke gezicht. Hun moeder bewoog zich om hem heen, speldde hem een corsage op, keurde het resultaat, draaide weer weg, boog zich voorover.

Het was een pluizenbol, die hond, het eerste wezen dat van hem had gehouden, misschien het enige tot nu toe. 's Ochtends stond hij bij het bed te hijgen, zodat George wakker schrok van het geluid, en je zou zweren dat een hond kon lachen, dat die kraaloogjes van hem oplichtten als hij zag dat George zijn ogen opende, aanstalten maakte uit bed te komen – langzaam, natuurlijk, hij was altijd al langzaam 's ochtends, en nog steeds. Het beest liep voortdurend achter George' kont aan, zou met hem mee naar school zijn gegaan als ma de deur niet voor zijn neus dichtgooide. Siegfried gaf hij ook aandacht, plichtsgetrouw en onderdanig zoals honden dat doen, met wat beleefd gekwispel.

Op heel goede dagen lieten ze het dier met z'n tweeën uit, Siegfried een paar stappen voor Ed en George, om aan te geven dat hij hier maar toevallig liep en zij achter hem aan waren gekomen, buiten zijn medeweten of verantwoordelijkheid. George vond zijn broer buitengewoon machtig, was altijd trots met hem gezien te worden. Als Sieg niet keek probeerde hij zijn manier van lopen na te doen, een onverschillige en beetje slingerende gang. Ed snuffelde aan gevels en pieste tegen vuilnisbakken, liet zich dan onwillig meetrekken – Siegfried wachtte nooit op hem –, terwijl George net iets te vrolijk vertelde over niet-bestaande vriendjes, over school en speelgoed en zijn juf, maar zijn woorden waren steentjes die hij gooide naar Siegs rug en aan de opgetrokken schouders van zijn broer zag hij hoe die zich ergerde. Straks gaat hij dood. Het is die smalle rug waaraan hij denkt, veel ouder nu en meer gebogen, dat hij daar nooit meer naar zal kijken. George heeft zijn binnenste gepeild op zoek naar een gevoel, voorzichtig, één teen in te koud water, maar daar zwom niets wat ook maar bij benadering de vorm had van verdriet. Hij dacht aan de diepzee, gigantisch, pikdonker en leeg.

'Ze heeft naar elke aflevering van Het Geheim gekeken,' had Clarissa gezegd, 'ze is je trouwste fan. Het is toch wonderlijk, alsof ze heeft gevoeld dat jij familie bent, soms denk ik dat ze meer voelt dan we weten.'

Ismeen schraapte geërgerd haar keel, ze stonden in de gang voor Siegfrieds kamer. Ze wisten niet hoe dicht bij elkaar ze konden staan of hoeveel afstand ze moesten houden, ze waren familie en toch ook niet. Het was vlak voordat ze vertrokken, Clarissa in haar eentje en Ismeen en Gone en hij in één auto alsof zij de familie waren. Het leek hem vreemd een kind te hebben, hij dacht aan de nachtelijke telefoontjes van zijn broer, zijn lichaam weggestopt achter die deur, onder de wollen deken. Er was, dacht hij, nog zoveel dat gezegd moest worden, het was te veel om eraan te beginnen.

Clarissa vroeg hem nog, toen Ismeen even naar het toilet was: 'Was je blij dat je had gewonnen, was je blij dat jij jouw geheim niet hoefde te zeggen?' Er was iets kokets in haar stem dat hem tegenstond, hij had zich afgewend, misselijk van de weeë geur van lysol en van wat niet gebeurd was. Met zijn broer achter de gesloten deur was het gemakkelijk voorstelbaar dat Siegfried er niet was, of niet belangrijk, dat George hier stond met zijn eigen vrouw en zijn eigen twee dochters, op bezoek bij een of ander familielid dat ziek was en er verder niet toe deed, behalve als een reden om het gezin bijeen te brengen, een ritueel, een ceremonie. Gone had zich tegen hem aan gedrukt, hij zweette en hij voelde het begin van een erectie, zijn lijf raakte verward door het meisje dat geen kind was en geen vrouw, ze voelde het, ze giechelde. Hij dacht, stel dat ze mijn kind was geweest.

*

Nu ze bij hem woont doet hij alsof het waar is, alsof ze echt van hem is. Soms volgt hij met de camera bewonderend de lijnen van haar magere lichaam, hij vindt het prettig dat er glas tussen hen in zit, hij is één groot oog. Beneden, in zijn kelder, voelt hij hoe zijn adem sneller gaat als hij haar op de monitoren ziet, ze is van hem en van zichzelf. Ze heeft voor hem gekozen, voor hem boven zijn broer, hij zegt tegen zichzelf: 'We wonen samen.' Ze is niet bang van hem, dat trekt hem aan.

Gones zwijgende lichaam moet ook door anderen teruggevonden kunnen worden op het wereldwijde web, bovenaan in de zoekmachines staan, voorop in ieder blog. Daarvoor zijn er de Mechanische Turken. Hij weet niet waar ze vandaan komen, maar hij kan ze betalen en er zijn er miljoenen, wereldwijd. Voor enkele dollarcenten voeren ze een handeling uit, kopiëren zijn video's en bedden die in hun eigen blog in, stemmen ze op een YouTubefilm, en zo wordt Gone langzaam populair. *I like.* Ze hoeven zelf niet gezien te worden, Mechanische Turken, of aardig gevonden, ze hebben geen verhaal. Ze maken anderen zichtbaar en dat is genoeg. George stelt zich een leger mieren voor, of bijen die een complexe dans uitvoeren. Ze zijn ermee bezig, hun vingers bewegen haast geruisloos op de toetsenborden in Houston, Bangalore, Mexico Stad.

George wacht. Hij is gewend aan wachten. Wat hij niet kent is de vastberadenheid die over hem gekomen is. Het is alsof iemand een lamp heeft aangestoken die hij maar heeft te volgen, zoals het meisje – want hij is toch niet in staat om haar als vrouw te zien – zich door zijn huis beweegt, lachend om dingen die hij niet kan zien, de lichtheid daarvan. Ze kruipt tegen hem aan, nestelt zich op zijn schoot als hij haar even de kans geeft. Hij laat haar. Hij weet niet wat ze denkt, maar hij heeft in zijn leven nog niemand echt begrepen. Maar zij wacht op iets om te breken, om afscheid te nemen, hij ziet dat. Hij ziet het en hij filmt het, hoe ze steeds beter wordt in wachten en steeds scherper, duidelijker afgebakend. Als ze niet bij hem is, volgt hij haar met zijn glazen ogen, de camera's die haar tot een beroemdheid zullen maken.

Al snel wordt haar niet-eten een uitdaging voor hem, speciaal voor haar gaat hij elke dag naar buiten. Wandelt, met moeite, de heuvel af, haar plakkerige hand in die van hem.

'Laat haar niet alleen,' heeft Clarissa hem bezworen, 'wat je ook doet, laat haar nooit alleen.'

Gone draagt een zomerjurk, ze heeft alleen maar zomerjurken meegenomen. Eerst was hij bang geweest dat ze ook dat soort dingen niet zou kunnen, tandenpoetsen, aankleden, maar het gaat goed, ze doet het allemaal behalve eten. Ze zijn te dun, die jurken, dun en fladderig, gevalletjes. Liever zou hij haar een warme trui aantrekken, maar zij lijkt de kou niet eens te voelen. Ze klemt haar hand in de zijne, kijkt vol vertrouwen naar hem op en ze lopen in hetzelfde ritme naar beneden, waar de grote supermarkt is met het lege licht. Hij denkt dat ze zoete dingen wel zal eten, hij houdt haar vla voor en crème brûlée, als het maar zacht is en gelig. Ze knikt niet, in de supermarkt, maar ze schudt ook geen nee. Ze staart naar hem en langs hem heen en ze staat midden in het gangpad en iedereen moet langs haar en ze gaat niet opzij. Eén keer komt er zomaar een kind uit het dorp op haar af, drukt iets in haar handen en hij is ervan overtuigd dat ze gepest wordt, jaagt de jongen weg met handgebaren en onbeholpen Frans. Maar als hij haar vingers opent ziet hij de grote, glanzende knikker die het joch haar heeft gegeven en hij schaamt zich, strijkt over zijn kin, klopt haar op de schouder, 'jaja'. Hij laadt zijn kar vol met de zachte gele dingen en zijn eigen vlees, en ook met fruit, voor haar. Elke keer weer koopt hij fruit omdat hij het prettig vindt de vruchten te schillen, in stukjes te snijden en zo voor haar neer te zetten, maar ze eet niets en de appels worden bruin, de druiven zacht, de aardbeien beschimmelen en het is alleen daaraan dat hij ziet dat de tijd voorbijgaat, aan het verrotten van het fruit dat hij voor haar heeft klaargemaakt.

Langzaam, dan steeds sneller, wordt ze brozer en eenvoudiger te breken. Soms maakt ze droevig klinkende geluiden en hij luistert, soms denkt hij even dat hij woorden hoort en zelfs zinnen, maar haar klanken hebben geen betekenis, geen bodem en gaan nergens naartoe. Misschien is het iets wat ze opvangt en weer doorgeeft, is ze alleen maar de ontvanger van een of ander verdriet dat altijd al ergens was, vormloos en wachtend. Er is een lege ruimte om haar heen. Dat is niet erg, er was ook altijd een ruimte om hem heen, die is nu opgevuld met vet. En haar gezelschap. Voor zijn camera wordt ze steeds mooier en elk moment duurt eeuwig en is zo voorbij, terwijl zijn broer heel ergens anders is, en al bezig te verdwijnen.

Er duiken mensen op die op de website naar de beelden kijken, eerst enkele unieke bezoekers, degenen die hem altijd al hebben gevolgd, daarna komen er meer. De omroep belt en vraagt waar hij haar heeft gevonden, of ze wel meerderjarig is. Ze houden van het meisje zoals ze nooit van hem hebben gehouden, toch denkt hij graag dat ze op hem hebben gewacht. Het is een prachtig verhaal, simpel genoeg en met alle symbolen: het monster en het meisje, *the beauty and the beast*. Het echte. Als hij de beelden van het begin met die van nu vergelijkt ziet hij pas goed hoe ze vermagerd is, ze hikt nu vaak. Soms legt ze haar handen op haar buik alsof ze pijn heeft, maar er komt geen geluid over haar lippen. Vaak is hij bang dat ze haar van hem zullen wegnemen, ze zullen zeggen dat het zijn schuld is, dat hij niet goed genoeg voor haar gezorgd heeft en daarom zet hij thee voor haar die ze soms opdrinkt, maakt hij bouillon die ze laat staan. En elke week belt hij Clarissa, die vermoeid klinkt, alsof ze tijdens het praten in de verte staart. 'Het komt wel goed,' zegt hij, 'alles komt goed.'

Plotseling was de hond dood.

Toen George de kamer binnenkwam zag hij Sieg zitten, op het bed, zijn handen in zijn zakken, kijkend naar de hond die op het blauwe vloerkleed lag, zijn lijf stijf, poten gestrekt. Blijkbaar zat hij al een tijd zo, hij bewoog niet toen George binnenkwam en bij het dier knielde.

'Wat is er gebeurd?' had George gevraagd, maar Siegfried antwoordde niet, hij zat daar maar, zijn handen voor zich uit. Toen hij ten slotte sprak was zijn stem rauw alsof hij stenen had ingeslikt en de woorden leken te oud, te zwaar voor hem. 'Uiteindelijk moeten de zwaksten je beoordelen. Omdat zij kunnen zien wie je bent, omdat ze niets tegen je kunnen doen, de zwaksten, omdat ze niets kunnen of niet genoeg.'

George had het lijf van de hond gestreeld, in de stompzinnige hoop dat het dier weer zou bewegen als hij er maar in slaagde om het op te warmen. Er was iets mis, die dag, met hoe zijn broer daar zat, hoe hij zijn handen hield, alsof ze niet bij zijn lijf hoorden. Meer om iets te zeggen dan omdat hij het echt geloofde, zei hij: 'Je hebt hem stuk gemaakt. Jij hebt het gedaan.'

Hij wachtte op de ontkenning, maar Siegfried had niet geantwoord. Er hing een zware lucht van parfum om hem heen en de hond lag daar maar op de grond, George had niet kunnen verdragen hoe het dier daar lag, hij had het koude lijfje opgepakt en was de kamer uit gelopen in de richting van de duinen. Daar had hij een gat gegraven, de wind blies het zand in zijn ogen.

Hij had niet gehuild.

Thuis werden er geen woorden vuilgemaakt aan de verdwijning van het dier, het was er gewoon niet meer zoals het er eerst plotseling wel was geweest. Maar George zou nooit vergeten hoe zijn broer daar had gezeten, hoe naakt, hoe uitgekleed, daar op het randje van zijn bed, hoe dood zijn ogen waren. Soms denkt hij dat hij aan een groot gevaar ontsnapt is doordat zijn moeder niet van hem hield, niet op die verterende, verslindende manier. Tegelijkertijd voelde hij steeds hoeveel ze Siegfried gaf en wat ze hem onthield; hij was er vergeefs achteraan gelopen zoals je kunt zoeken naar de muziek die soms uit een venster klinkt, het beeld van handen die een saxofoon bespelen, betoverend maar onbereikbaar.

Het eerste telefoontje komt 's ochtends, iemand van de radio, een vrouw. Wie het meisje is. Familie? Hij vertelt dat haar vader op sterven ligt, dat ze zelf niet kan praten. Hij zegt dat hij een dokter voor haar zoekt, een goede, en hij vergeet niet om wat grapjes te maken ten koste van zichzelf, het Monster. Hij zegt: 'Wie zal het zeggen? Ze eet niet, ik weet niet waarom. Om haar vader? Het onrecht? De economie?'

'Ze lijkt wilsonbekwaam. Is dit ethisch verantwoord?'

'Ik houd me nooit zo bezig met die dingen. Ethiek, dat is zo'n woord.'

'Wat vinden de ouders hiervan?'

'Ik dank u voor uw aandacht', en hij legt neer.

Het telefoongesprek wordt onderwerp in een talkshow, niet lang, omkaderd door deskundigen die praten over internet en iedereen vijf minuten beroemd, over webcams en de drang om op te vallen. Die dag belt Clarissa hem in plaats van andersom.

'Waarom moet de hele wereld dat weten, van haar, van hoe ze is? Wij zijn niet zo, we hebben dat nooit zo gedaan, die aandachttrekkerij.'

'Je dochter is zo mooi, Clarissa.'

'Ze moet eens wat gaan eten.'

Clarissa krijst niet tegen hem en raakt niet in paniek, ze biedt niet aan Gone te komen ophalen, ze zegt niet dat ze naar een dokter moet. Misschien is ze domweg te moe om ongerust te zijn, er gebeurt toch al zoveel waar ze niets aan kan doen; 'eerst eens kijken hoe het nu met Sieg zal gaan, hij zegt altijd, ze moet niet naar zo'n instituut, houd haar nou uit het ziekenhuis'.

Nog steeds probeert hij haar te laten eten en hij zorgt ervoor dat ook de camera's zien hoe hij pap voor haar maakt en het lepeltje bij haar mond houdt, hoe hij ermee tegen de lippen duwt die zij stijf gesloten houdt. Hij prakt fruit voor haar en zet het bij haar neer, schenkt yoghurt in en vla en maakt zelfs pudding, want dat kan hij. Ze blijft nu meestal op haar kamer, lijkt moe en trager dan ze was. Soms zet ze haar handen tegen de muren, loopt heen en weer als om te voelen hoeveel ruimte er nog is. Vaker ligt ze op het geïmproviseerde bed, ze staart naar het oog van de camera. Ze knippert niet. De toetjes staan om haar heen, het lijken offerandes.

Dan volgt de tv. De omroep heeft gemerkt hoe populair de site weer is en wijdt een shockdoc aan Gone en haar zeldzame ziekte. De presentatrice kijkt ernstig en heeft een snik in haar stem, een programma onder de titel *Tot op het Bot* toont weer andere beelden, en experts die praten over anorexia en of dit daaronder kan worden gerangschikt. Later worden de andere deelnemers van *Het Geheim* opgegraven uit hun anonieme huizen, ze praten over George, hij kan hun angstzweet ruiken. In talkshows spreken sidekicks met afgrijzen over de combinatie van George – enkele stills uit *Het Geheim* worden getoond, waaronder de wurgscène – en het meisje. George moet wel een psychopaat zijn; de deskundige legt uit: 'Het is moeilijk voorstelbaar, maar het is het totale ontbreken van een geweten. Hij heeft misschien wel een abstract begrip van goed en kwaad, maar geen doorleefd besef daarvan.' Ook van Gone komen beelden voorbij, Gone huppelend. Dansend met gestrekte armen. Dat zijn beelden van eerder, want zoveel beweegt ze nu niet meer, ze lijkt haar energie te sparen. De site wordt live gevolgd: Gone slapend, teruggetrokken achter haar gesloten ogen. Een vrouw zegt: 'Ze lijkt zo kwetsbaar, zo fragiel, je zou haar daar zelf uit willen halen. Maar ze is meerderjarig.' Er wordt gespeculeerd over verstoorde rouw, een psycholoog oppert: 'Misschien is het een offer.' George voelt dat dat niet waar is, ze is ver van haar vader, ze koos hem, maar het maakt hem niet uit dat zij niet beter weten. Als hij Gone een nieuw toetje brengt slaat ze een arm om hem heen en het duurt lang voor ze zich losmaakt. Het heeft iets moois, iets prachtig passends dat ze probeert zichzelf te transformeren in een beeld dat tegengesteld is aan het zijne, in hem opgaat, dat ze wil verdwijnen om hem te laten groeien. 's Avonds gaat hij met zijn vinger langs haar ruggengraat, voelt hoe de afzonderlijke wervels scherp uitsteken. Haar schouderbladen lijken vleugels, ze heeft niets vlezigs meer.

Geleidelijk beginnen zich mensen te verzamelen op het plein voor de villa. Eerst is het een enkeling, een oudere vrouw met uitgezakte krullen en een grijze regenjas over haar arm. Ze houdt een bord op: BRUUT, ze heeft een lunchtrommeltje en een appel bij zich. Daarna komt er een ander, die zich op de andere hoek posteert, een lange jongen met sluik blond haar. Hij heeft geen bord, hij kijkt alleen maar naar het raam waarachter hij waarschijnlijk Gone vermoedt. Af en toe veegt hij met een bestudeerd gebaar de haren uit zijn ogen. Hij ziet er verveeld uit. Langzaam komen er meer: een doods uitziende man, een vrouw met een kwaadaardig uiterlijk, een meisje met dreads. Er worden actiegroepen opgericht. Er komt een journalist de demonstranten interviewen. George kijkt vanachter het raam naar hun monden die bewegen, hij verstaat ze niet. Later ziet hij op de televisie de vrouw met het lunchtrommeltje, ze zegt: 'Ik heb elke vrijdag gedemonstreerd voor de vrede en nu ben ik hier. Het is iets wat ik moet doen, voor haar, ik voel een grote zuiverheid.' Er komt een man met een baard op tv, hij verkondigt dat Gone een heilige is en hij de enige die haar begrijpt. Het studiopubliek lacht en joelt, maar later komt hij terug, en nog eens, hij is een charismatisch spreker en die lange baard helpt ook. George voelt iets van jaloezie.

Het aantal volgers op internet stijgt nog steeds. Er wordt gespeculeerd over haar naam, nu iemand heeft uitgevonden dat haar zus Ismeen heet. Een presentator zegt: 'En die vader dan? Die leeft nog steeds.' Hij buigt naar voren en vraagt zijn gasten of ze hier, hij durft het bijna niet te zeggen, een wonder moeten vermoeden. Er gaat een schok door het studiopubliek, ergens wordt gelachen. Maar de volgende dag opent de show met haar naam, 'wat het hele land bezighoudt', en binnen een week is daar dan ook het idee van een wake.

*

Alles gaat sneller dan George zich had kunnen voorstellen.

Op een zaterdag, het is al herfst, protesteren er bij de villa duizenden voor het Behoud van het Gezond Verstand en/of de Angst, zoals de manifestatie wordt aangekondigd. De organisatoren zeggen dat het niet gaat om het meisje, ze zeggen: 'Wat hier gebeurt, dat is symbolisch, teken van deze tijd, wat we verliezen', maar uiteindelijk draait alles toch om haar. Sommige demonstranten houden borden omhoog met beelden van haar uitgemergelde lichaam, anderen noemen dat smakeloos. De meesten zijn blij een bord in beide handen vast te hebben.

De menigte gonst van verwachting.

Op verschillende plaatsen in het dorp staan standjes met T-shirts en andere gadgets. Enkele daarvan worden bekogeld met tomaten en eieren en moeten haastig worden opgeruimd, de dagomzet is desondanks spectaculair. Hier en daar worden kaarsen gebrand. Omdat het waait moeten de demonstranten de tere vlammetjes beschermen in de kom van hun hand; het is, zegt een verslaggever, alsof het meisje zelf aanwezig is en met haar vermoeide glimlach de massa troost. Ze voelen haar aanwezigheid. Ze moeten haar redden. Natuurlijk heeft ze de wettelijke leeftijd van een volwassene die zelf in staat is te bepalen wat ze doet, hoe ver ze gaat en waar ze stopt, maar ze is – en dat staat buiten kijf – ontoerekeningsvatbaar. Geen zinnig mens zou zijn begonnen aan deze onderneming, die gedoemd is te mislukken. Alleen in sprookjes, films, verhalen wint de held altijd, de werkelijkheid – dat registreren de camera's vaak genoeg – is anders.

Het is mistig die middag, de demonstranten zijn vage schimmen. George zet Mahler op en draait de volumeknop maximaal open, muziek stort zich uit over hun kwetsbare hoofden, *Todtenfeier*. En langzaam wordt het donker.

Mensen, denkt George, merken altijd pas op dat iets er was als ze het missen, beseffen dat dan zelf ook en halen er hun schouders over op, lachen met snelle lippen, trage ogen. Soms komen ze in beweging, op dagen als vandaag, maar dat gebeurt niet vaak. Hij kijkt naar de televisie, één grote hand op Gones hoofd, haar rode haar. Ze ademt nauwelijks. Er is een onbegrijpelijk contrast tussen het beeld voor hem, de geluiden die van buiten door de ramen dringen, hoe ze schreeuwen, de drukte die ze maken, en de rust van het lichaam naast hem. Zo breekbaar als ze is, zo prachtig, zo bijna voorbij. Hij weet dat ze komen. Hij denkt hun stappen te horen, te voelen hoe het huis ineenkrimpt onder de aankondiging van hun komst. In elk geval zal niemand nog het huis vergeten, de komende week niet.

Als hij een auto had zou hij nu weggaan. Hij zou haar te lichte lichaam naar de wagen dragen en haar meenemen naar een horizon die hij niet kent. Hij zou voorzichtig rijden naar de verte en iemand zou hen nakijken en naar hen zwaaien, iemand zou blijven staan om hen langzamerhand steeds kleiner te zien worden.

Maar nu er niemand is die hen kan uitzwaaien laat hij Gones hoofd voorzichtig op het bed zakken, streelt nog eenmaal haar haren. Hij heeft zich nooit erg gehecht aan het leven, maar toch lukt het hem niet om het achter te laten. Het kost hem altijd moeite van de ene toestand naar de andere te gaan: massa is traag. Op de televisie wordt een dikke vrouw door een jonge, te beleefde man van het journaal gevraagd naar de naam van de demonstratie, ze zegt: 'We moeten ons gezond verstand gebruiken en geen gekke dingen doen, als je alleen al ziet hoe mensen tegenwoordig met de dieren omgaan, daar draait je maag van om en dan dat kind, dat arme kind' en ze snuift, haar verlopen krullen plakken tegen haar schedel. De interviewer bedankt haar en draait zich om terwijl zij hem nog naroept: 'Mijn moeder zou het verschrikkelijk hebben gevonden, wat er hier gebeurt, verschrikkelijk!'

Haar koude gezicht.

Een man in tweedjas en Burberryshawl houdt een pleidooi voor de camera: 'Gun ons de mogelijkheid om bang te zijn. De beelden, de media, alles gaat maar verder en verder en er is niemand die de grens bepaalt. Als dit nu ook al kan, wat blijft er dan nog over?'

De mensen naast hem knikken bevestigend, een meisje zwaait om op tv gezien te worden, de camera's draaien gewillig. Het volk eist zijn recht. Al die tijd heeft men alles zwijgend geaccepteerd, toegekeken zonder te bewegen terwijl het geld zomaar verdampte, de tijd verder tikte en het meisje vermagerde. Maar nu komen ze de straat op en het ritme van hun voeten is een protest op zichzelf, sterker dan de leuzen die hier en daar worden geroepen. Dit had niet, nooit mogen gebeuren – nu komen de horden in opstand, ze vergeten niet, ze vergeven niet. Verwacht hen.

Hoe fijn gevormd haar lippen zijn, ze lijkt bijna een pop.

De camera's registreren emotieloos wat er rondom de villa gebeurt. De kijkers thuis kennen de demonstranten en ze kennen het spel dat ze spelen: morgen zullen de straten weer leeg zijn, maar het protest zal worden vermeld. Iedereen vraagt zich af of hij op het bordes van de villa zal verschijnen, de engerd, de duivel, de oom. Hij. Ze hopen erop. Ze zullen hem met liefde de vetrollen van het lijf scheuren. Ze zullen laten zien wat er gebeurt als je te ver gaat.

George kijkt naar de demonstranten op de televisie. Hoe het heeft kunnen gebeuren, dat is de vraag, zegt de verslaggever, die iedereen nu bezighoudt, en dat er iets verloren is gegaan, dat George hun iets ontnomen heeft, de zuiverheid, de moed. De bijen sterven bij bosjes. En zonder dat ook maar iemand het uitspreekt ontstaat er een gat te midden van de mensen, een holte in hun borstkas die om vervulling schreeuwt. Ze willen haar – ze willen iets of iemand – redden.

Ze wachten.

Hij hoort hoe ze voor zijn raam wachten. Hij hoort hoe ze buiten groter worden en steeds luider. Sommigen dragen fakkels; het is donker nu.

George staat langzaam, met grote moeite op. Kijkt nog één keer naar haar. Ze reageert niet als hij de deur met een zachte klik achter zich sluit en langzaam naar het bordes loopt, de hoge deuren opent. Op komt de held en dat is hij, George van Oort, ze kijken naar hem, naar de man die haar gered heeft uit de schaduw en hun een idool gegeven heeft. Hij geeft hun waar ze op hopen en verschijnt op het bordes, hij loopt niet snel maar met de waardigheid die van hem wordt verwacht, een volumineuze tred. Een tomaat raakt zijn borstkas en spat daar uit elkaar, laat een rode vlek achter die hem aan bloed doet denken. Iemand gooit een ei, en nog een. Hij spreidt zijn armen alsof hij iets wil gaan zeggen of wil proberen de woedende menigte beneden hem te dirigeren. Achter al die mensen ziet hij zijn auto staan en hij is niet eens echt geschokt wanneer hij ziet hoe zwaargewond de wagen is, hij zwaait. Dan komen de stenen. Steeds sneller achter elkaar worden ze gegooid, en steeds beter gemikt. Eén treft zijn buik, er wordt gelachen. Een ander schampt zijn slaap. Hij opent zijn mond maar zegt niets, of als hij iets zegt is het niet te horen – later zullen liplezers zich buigen over dit fragment, zijn onthutste uitdrukking keer op keer terugspoelen om nogmaals te bekijken.

Even langzaam als George is gekomen verwijdert hij zich weer van het bordes. Zwaar en log, maar misschien niet zoveel anders dan hij altijd is geweest. Vlak voordat hij naar binnen verdwijnt raakt een laatste steen zijn linkerschouder, maar George reageert niet – misschien dringt het projectiel niet eens door al dat vet heen.

Hier klinken de geluiden van de menigte gedempter, maar stil is het niet – een ritmisch gedreun doet hem vermoeden dat ze de deur proberen in te beuken. Dat zal ze niet veel tijd kosten, want die is niet eens met de sleutel afgesloten – als elke ochtend heeft hij vanochtend de zware deuren geopend en 'welkom' gezegd, 'welkom' tegen de paar demonstranten die er toen al stonden.

Haar willen ze redden, en dus laat hij haar achter. Ze zullen haar vervoeren naar een ziekenhuis en sondevoeding geven onder dwang, ze zal gaan eten en gezond worden, beginnen aan een heel nieuw leven. Clarissa zal het wel begrijpen. Zelf loopt hij naar beneden, naar de controlekamer die overdreven goed beveiligd is – de makers van *Het Geheim* waren altijd al wat paranoïde, al te bang van hem. 'We gaan naar de kelder,' mompelt hij in zichzelf, 'naar de kelder.'

Het voelt goed om de zware deur naar de kelder achter zich dicht te kunnen trekken. Hier dringt geen enkel geluid door, alleen het beeld. Op de schermen kun je niet goed zien hoe het met haar gaat, of ze nog leeft of al gestorven is. Hij ziet hoe Ismeen schichtig het huis binnenkomt, door de gangen loopt, haar zusje vindt. Hij houdt zijn adem in als ze de deur opent, vanuit de deuropening naar Gone staart, naar haar toe loopt en naast haar knielt.

Op dat moment verwacht hij een omhelzing en muziek, iets triomfantelijks. Er gebeurt niets. Ze kijkt. Balt haar vuisten en strekt haar vingers dan weer, doet langzaam een stap achteruit. Dan nog een, en buiten de kamer begint ze te rennen en George volgt haar op de monitoren, hoe ze door alle gangen rent tot ze naar buiten gaat, uit beeld verdwijnt – de achterkant wordt niet gefilmd. 'Het woord interessant,' hadden ze tegen hem gezegd, 'is niet interessant, het is een muur waarachter je jezelf verschuilt, het zegt niets. Als jij je geheimen niet vertelt zijn er nog zo veel anderen die wel willen, loop je wel eens naakt in huis, wat is je grootste angst, je hoop, waarvan val je pas goed hard op je bek?' Nu pas beseft hij dat het verhaal niet groter meer kan worden, niet extremer dan dit. Hij mag zijn eigen redacteur zijn, maar dit overtreft hij nooit: hierna zal er niets zijn.

'Blijven ademen, meisje,' zegt hij. 'In en uit.'

Ze is nu bijna doorschijnend.

Hij heeft nooit gebeden en doet dat ook nu niet, maar hij verlangt naar grootmoeders appeltaart, een vrouw in zacht tricot, het parfum van zijn juffrouw op school. Ed. Geluidloos dringt de menigte naar binnen, het is fascinerend om te kijken naar hun open monden, hoe lachwekkend ze zijn. Eenmaal binnen verspreiden ze zich snel door de gangen, de kamers, langs het marmeren wastafeltje met spiegel, ze zien zichzelf niet. Het zijn net mieren, zo paniekerig, zo vastbesloten op weg ergens naartoe. George kijkt hoe de seconden verder lopen op het scherm. Uiteindelijk is er alleen de tijd die zich uitvouwt, uitdijt, dan weer oprolt en ineenkrimpt, maar voor de camera's zijn seconden altijd hetzelfde. Hij concentreert zich op het verspringen van de cijfers, laat zich erdoor verdoven. Na vijf minuten en zesentwintig seconden precies heeft de eerste indringer Gones kamer gevonden, spert zijn mond wijd open in een onhoorbare schreeuw. Meer mensen worden zichtbaar, eerst de enkelingen die al in de buurt waren, daar is de vrouw met de nepbontkraag, dan komen er meer en nog meer, aangetrokken door het geroep van de eerste. Hij kan Gone niet meer zien, omdat te veel mensen het blikveld van de camera versperren, te veel mensen de kleine kamer binnendringen. Hij ziet hoe iemand een camera boven zijn hoofd tilt om beelden van haar op te vangen en hij lacht, lacht hardop en triomfantelijk: ze zal worden gered.

Dat is het moment dat hij zijn broer belt.

Clarissa

Er was een meisje vermist dat Janneke heette: vanaf de pilaren op het station staarde haar gefotokopieerde gezicht Clarissa aan. Ze kon niet ouder dan een jaar of acht zijn. Er was een gat in haar gebit waar ze een tand gewisseld had, haar lach was scheef maar vol vertrouwen, een hoekje van de poster bladderde al af. Het kind leek precies even oud als haar eigen dochters, wie had haar meegenomen, waar was ze heen gegaan? De meisjes trokken aan Clarissa's handen en achter haar drongen de andere reizigers op die wilden uitstappen, maar midden in die haast stond Clarissa stil, grabbelde naar pen en papier. Ze hoopte dat iemand de poster zou weghalen als het meisje gevonden was, dat de foto niet zomaar van de pilaar zou afrafelen en verdwijnen, het hoorde niet dat zo'n kind langzaam haar gezicht verloor.

'Gaan we nou?'

'Even stil, Ismeen, pas op je zusje.'

Ze was bozer dan gerechtvaardigd en toen ze dat bedacht werd ze nog bozer. Soms vroeg ze zich af of haar leven zo zou blijven, of ze zich altijd de vraag zou moeten stellen of ze niet het ene kind te veel gaf of het andere te weinig, zichzelf altijd zou moeten blijven delen en delen tot er niets meer over was. Misschien hield ze niet genoeg van Gone, maar probeer maar eens te blijven houden van een kind dat nooit naar je luistert. Het waren de anderen met hun afkeurende reacties die het moeilijk maakten, hun 'tuttut' en 'een pak op de billen, dat zou ik doen'. Ze schaamde zich voor haar kind, schaamde zich dan weer omdat ze zich schaamde. De eindeloze ruzies over wat er nu met Gone moest gebeuren hadden haar uitgeput. Ze was geneigd Siegfried gelijk te geven, gewoon omdat ze te moe was om zo door te gaan, niet eens meer wist wat ze zelf zei en waarom. Hij zou zijn schouders ophalen als hij de poster zag, 'het gebeurt, kinderen verdwijnen, ze gaan dood, de wereld is niet eeuwig', tegenwoordig wist ze bij alles precies wat Siegfried ervan zou zeggen. Alleen haar eigen gedachten hoorde ze nog maar zelden.

Gone liet een dreigend gebrom horen. Het was een laag en diep geluid dat achter uit haar keel kwam.

Niet.

Niet doen.

Clarissa hernam zich en kwam in beweging, greep Ismeen beet en trok Gone mee, weg van de poster. Als Gone begon te schreeuwen was er niets wat haar daarmee kon laten ophouden, ze schreeuwde als een alarm, haast plichtsgetrouw, verschrikkelijk schreeuwde ze. Janneke. Zo'n onschuldige naam. Zo anders dan Gone, onprettig om uit te spreken en onaangenaam om naar te luisteren, wat als ze Maartje had geheten, Rozemarijn? Zou Janneke ooit zo hebben geschreeuwd? Clarissa graaide in het wilde weg snoep uit haar zakken, hield het haar kinderen voor, maar zelfs Ismeen pakte het niet aan, weigerde beleefd en Gone schreeuwde en mensen keken om, keken naar de moeder die iets, wat dan ook, aan haar kind zou moeten doen, die het niet goed had opgevoed en hoe dan ook de verantwoordelijke was, ze suste, 'zachtjes, zachtjes', en zelfs in haar eigen oren klonk haar stem zwak, iemand zou dat kind moeten aanpakken en opvoeden, ze pakte Gone bij de arm en trok eraan, probeerde het meisje te dwingen om haar aan te kijken, te kalmeren, maar haar ogen schoten alle kanten op en zelfs haar hoofd bleef heen en weer schudden, er was iets wilds in haar waar Clarissa niet bij kon en ook Ismeen keek van een afstandje met verbazing naar haar tweelingzus, voorbijgangers bedekten ostentatief hun oren. Gones stem was een kolom die uit haar lichaam de lucht in schoot en zij stond ernaast en werd erdoor verpletterd en ze moest wel een hand op de mond van het kind drukken, het kind dat zich los worstelde, zo glad en lenig als een dier.

Ze hadden zich een dochter moeten dromen.

Ze hadden zich de klank van haar lach moeten voorstellen, de manier waarop haar haren over haar gezicht zouden vallen wanneer ze ouder werd. De kleinste beweging van haar hand hadden ze voor zich moeten zien en hoe haar stem zou klinken en dat ze witte of roze jurkjes droeg met van die kleine bloemetjes, en vlechten in haar haar en misschien dat ze dan wel had geweten wat ze nu moest doen, terwijl haar eigen oren begonnen te piepen en Ismeen aan haar hand trok, zich ook al wilde verbergen en Gone steeds roder aanliep.

Een agent stopte naast haar en vroeg of hij kon helpen, ze lachte wanhopig, schudde haar hoofd en zag hem denken dat hij het kind binnen tien jaar terug zou zien op het bureau, terwijl Gone haar mond steeds wijder opensperde. Waar kwam toch al die woede vandaan, wat had een zesjarige om zo kwaad over te zijn? Het meisje huilde niet zoals kinderen huilen, ze krijste zoals moeders op de televisie huilden als er weer een van hun zonen was gesneuveld, met wijd opengesperde ogen en een natte mond, zo huilde ze. Haar huilen was een aanklacht tegen hen. Gone huilde om hen ervan te beschuldigen dat ze leefde en wie kon het haar kwalijk nemen, kijk naar die afkeurende gezichten om haar heen, bleek, pafferig en angstaanjagend. Clarissa trok Gone nu met geweld mee over het perron en nog steeds huilde het kind, geen wonder met zo'n moeder, hoofden draaiden weg, schudden langzaam en nadrukkelijk, mompelden binnensmonds iets onverstaanbaars, maar wat dan, wat moet ze dan, wat zouden zij doen behalve fluisterend smeken 'toe dan, Gone, toe dan, alsjeblieft', maar het was Ismeen die haar over haar haren streelde en zei 'stil maar mama, stil maar' toen ze zich ten slotte op de grond liet vallen, te moe om te merken dat het eindelijk, eindelijk stil was.

Ze had het jaren volgehouden maar het had haar langzaam opgegeten, laag na laag van haarzelf was verdwenen in de hongerige ogen van Gone, in Siegs smalende opmerkingen, totdat ze niet meer wist wat ze nog kon vertrouwen, er was simpelweg niets over.

'Het is angst,' had hij die avond na Gones uitbarsting gezegd. 'Je ziet het aan haar ogen, ze is bang van jou.'

Ze had gestaard naar het tapijt onder haar voeten, versleten wollen draden in een kleur die ooit oranje was. Ze herinnerde zich de eerste avond dat ze hier was, ook toen was het tapijt al oud, het huis leek pittoresk, een sprookjeshuis, het was te mooi om waar te zijn. Nu lagen de kinderen boven in bed, maar ze dacht nog Ismeens stem te horen, het liedje dat ze de afgelopen dagen voortdurend voor zich uit gezongen had, dreinend steeds hetzelfde liedje in het fonetisch Engels van een zesjarige, *I protect you from the unicorns, keep the vampires from your door*, Ismeen zong graag in het donker. Ze zei dat haar stem dan anders klonk, maar het bleef altijd vals. Het was angstaanjagend om haar zo toonloos voor zichzelf te horen zingen, ze zou het niet kunnen verdragen als er ook iets mis bleek met haar andere kind.

'Ik zeg niet dat je het expres doet,' ging hij verder. 'Maar het is wel zo.'

'Ze is ziek.'

'Je moet haar wat meer ruimte geven. Was jij als kind nooit moeilijk?'

Ze haatte het als hij zo tegen haar praatte, zoals hij daar stond, het glas port geheven om zijn woorden kracht bij te zetten, de andere hand in zijn zak, altijd de leraar, in het bezit van kennis die buiten haar bereik viel, in het bezit van een kalmte die zij nooit had gekend, hij moest wel de laatste mens op aarde zijn die pullovers met een v-hals droeg over zijn overhemd, en ribfluwelen jasjes. Waarom zou je beschermd moeten worden tegen eenhoorns? Ze schrok op toen ze voelde hoe Siegfried naar haar staarde, hij zei vaak dat ze een dromer was en lachte dan. Vroeger zou hij haar hebben gevraagd waarvan ze droomde.

'Moeilijk, ja, maar dit is anders', en ze zweeg terwijl hij wachtte. Zelf was ze blij geweest dat de artsen haar uiteindelijk die paar letters gaven, een afkorting om te verklaren wat er mis was, een godsgeschenk. Maar Siegfried had het woord uit hun huishouden verbannen, zelfs in de spreekkamers had hij vermeden Gone ziek te noemen. Ze zouden haar van hen afpakken, had hij gezegd, ze zouden haar opnemen in hun systeem en haar vermorzelen tussen hun grijze categorieën, hun instituties, alles wat ze beter wisten. Er zou niets van haar overblijven, zei hij, ze was te sterk om ergens in te passen, ze zou breken. Voor hem bestond er geen anders dan 'moeilijk', er bestond geen ziekte, en dus hield ze haar mond terwijl hij wachtte op haar antwoord.

Zo moest hij kijken naar de scholieren die hem elke dag opnieuw teleurstelden, het was een blik die uitstraalde dat hij ondanks alles toch nog steeds geduld had. Ze kon niets zeggen als hij zo keek. Ze kon niet zeggen dat ze iets kwaadaardigs zag in Gone, iets donkers, diep binnen in het meisje, iets dierlijks dat maar heel af en toe zichtbaar werd achter haar ogen, misschien haar eigen schuld. Clarissa had er de woorden niet voor – misschien waren ze er wel en kende zij ze alleen niet –, maar ze was ervan overtuigd dat Siegfried wist wat ze bedoelde. Hij gaf het niet toe, dat was het enige verschil; ze verdacht hem ervan dat hij gefascineerd werd door dat dierlijke dat hij zelf niet had, het fysieke. Het leek hem genoegen te doen dat, 'nomen est omen', het kind dat hij Antigone had willen noemen zich aan alle regels onttrok, terwijl hij met evenveel perverse voldoening kon opmerken dat Ismeen 'een echte Ismene is, zus van, brave burgerdochter, streber'. Het arme kind was zes. Soms ging Clarissa 's nachts naar haar kijken, alleen naar haar en hoe normaal ze was. Ismeen had altijd alles op tijd gedaan, was op tijd gaan praten en op tijd gaan eten en ook was er niet al die strijd, al het verzet dat ze met Gone associeerde, niet – diep verborgen – de angst.

Ze heeft altijd gedacht dat je erbij hoorde als je een kind had, liefst twee. Ze wist niet precies waarbij of bij wie, maar het was haar altijd gezegd: 'Dat kun je pas begrijpen als je zelf moeder bent.' Zonder kinderen was een vrouw niet echt volwassen, nog niet af, al dacht ze zelf van wel. Ze kon toen nog niet weten dat zij een van die moeders zou worden over wie iedereen het heeft, die op televisie in de talkshows ontleed en uit elkaar getrokken worden door twee, drie, vier deskundigen tegelijkertijd. Ze zou de televisie moeten inpakken, de afstandsbediening verstoppen – het andere nieuws interesseert haar ook niet, de journaalberichten maken haar somber zonder dat ze echt begrijpt wat er gezegd wordt, soms valt het geluid uit en merkt ze het niet eens. Toch blijft ze ernaar kijken. Ze kijkt toe hoe ze haar bespreken, vrouwen in mantelpak en met een harde lach, mannen met hun overhemd een eindje open, de presentator met een hand onder zijn kin, geïnteresseerd. Ze is een verschijnsel geworden, net zoals of misschien nog meer dan haar dochter. Hoe weinig ze gedaan heeft om haar kind te redden. Ze zeggen: het is net geen moord maar misschien nog wel erger.

Ze herinnert zich de dag dat ze thuiskwamen uit het ziekenhuis. Het had gesneeuwd en toen ze uit de taxi stapte voelde ze de wind tegen haar wangen, toch wilde ze het laatste stuk lopen, de lange oprijlaan naar de school. Siegfried was bang dat het voor haar te zwaar zou zijn en voor de kinderen te koud, maar die ene keer had ze aangedrongen. Ze had de tweeling in het ziekenhuis hun kleertjes aangetrokken, ze in een dekentje gewikkeld en daaroverheen een quilt gelegd, ze had sussend tegen de kinderen gepraat terwijl Siegfried in een hoek stond, zijn armen voor zijn borst gekruist. Nu droegen ze de mand tussen hen in, allebei één hand op het rieten hengsel, wat niet gemakkelijk liep omdat Siegfried veel kleiner was dan zij. Hoe trots ze toen was, hoe bijzonder om tegen de kinderen te zeggen: 'Hier wonen jullie, wij. Hier zijn we thuis', als een soort bezwering. Siegfried was zo zenuwachtig dat hij de sleutel niet in het slot kreeg en terwijl hij met het slot worstelde stond zij daar op die besneeuwde oprijlaan, het was zo mooi dat het niet echt leek. Dit zijn onze kinderen, had ze gedacht, dit is ons leven.

Het is zo snel gegaan. Een kleine negen weken geleden stond ze nog naast Siegfrieds bed en keek neer op haar echtgenoot die niet sliep en nog niet dood was, die treuzelde en weigerde om weg te gaan, zoals hij altijd al aansporing nodig had. Ze wilde dat hij opschoot, hoewel je zoiets zelfs niet mocht denken. De verzorgsters waren onder de indruk van haar toewijding of misschien wel vooral blij omdat ze hun werk bespaarde, met name dat gedeelte van het werk waar de opleidingen nooit mee adverteerden: '*Als verzorgende werk je met mensen (cliënten) die onvoldoende in staat zijn voor zichzelf te zorgen. Zij zijn afhankelijk van anderen die hen daarbij ondersteunen of taken van hen overnemen,*' verkondigde de poster in de hal beneden, onder een ongeloofwaardige foto van een achttienjarige die lachend een arm over de broze schouders legde van een achtentachtigjarige die eveneens breed lachend vol vertrouwen naar haar opkeek. Ze hadden een hekel aan hem, voelde Clarissa, ze lieten zijn verzorging maar al te graag aan haar over. O, nog niet bij binnenkomst toen zijn frêle uiterlijk hen had bedrogen en ze hun gebruikelijke taaltje aanhieven, de toon te hoog, de melodie te kinderachtig omdat hij nu van mens een mens (cliënt) geworden was en onvoldoende in staat om voor zichzelf te zorgen, een kind kon het zien zoals hij binnenstrompelde, aan zijn onderarm geleid omdat hij toen nog te eigenwijs was voor een rolstoel.

Natuurlijk hadden ze zijn dossier gelezen.

Het roddelen, de mogelijkheid om dieper in iemands leven door te dringen dan die ander ooit zou hebben toegestaan toen hij zichzelf nog kon aankleden en zijn eigen billen wassen, het gluren waren een schrale compensatie voor de vernederende alledaagsheid van hun werk. Docent klassieke talen, wat schattig, het was een wonder dat er nog zo'n dinosauriër bestond nu zelfs een commissie van geleerden opperde de proefvertaling op het eindexamen te laten vallen, dat wisten ze, een van die meisjes had een kind op het gymnasium, een verafgode zoon over wie de hele familie wel zou praten, een klank van ontzag in hun stem.

Maar wat wist ze er ook van, meer dan een paar woorden hadden ze niet gewisseld.

De receptioniste had nog geprobeerd haar te bemoedigen, het was een aardig mens. 'Het is vaak ook heel erg moeilijk voor familie,' had ze gezegd, 'ik weet dat zelf ook, mijn eigen moeder –' Ze stokte omdat Siegfried door haar woorden heen begon te fluiten, besloot toen zijn gedrag te beschouwen als symptoom van zijn ziekte.

'Alzheimer?' mimede ze met een blik op hem, nog steeds meelevend. Toen de telefoon ging had Clarissa zich met rolstoel en al haastig verwijderd, bang voor wat Siegfried zou doen als ze daar langer bleven staan. Later was er die scène met Gone in de vijver, steeds wanneer ze daarna langs de receptioniste kwam keek die in haar papieren en deed alsof ze haar niet zag. Siegfried zei: 'Het is zo'n type dat parfum uitspreekt met de klemtoon op de eerste lettergreep en dat zegt alles al', en zij had afwezig geknikt zonder te weten wat daar nu weer verkeerd aan was, het lukte haar nooit te voorspellen waar hij zich aan zou stoten en bezeren. Nooit zag ze precies wat hij zag. Ze weet nog hoe hij haar een keer vertelde over iemand die dacht dat de wereld maar een flauw aftreksel was van het een of andere ideaal, zijn ogen glinsterden.

'Materie,' zei hij, 'is verwerpelijk.'

Ze had hem zijn eten voorgezet, zich afgevraagd hoe iemand daar in godsnaam in kon geloven. En als hij erin geloofde, waarom hij dan nog at. Het was in de tijd dat ze niet jong meer was, maar voordat ze echt oud werd – en ja, ze weet het, ze heeft nog niet de leeftijd om dat te mogen zeggen, ze heeft nog een heel leven voor zich. Maar je bent zo oud als je je voelt, nietwaar? Trudy roept het op iedere verjaardag terwijl ze de champagne heft die tegenwoordig overal lijkt te verschijnen en zelfs Siegfried hoopte dat jong blijven een kwestie van wilskracht was, al zou hij dat nooit zo hebben gezegd. Maar zelf is ze oud, bejaard zelfs, want zo heet het als er geen toekomst meer is, je bent zo oud als je je voelt. Het lijkt zo kort geleden dat de dood iemand op afstand was, een verre kennis die ze af en toe ontmoette, maar die niet van belang was voor haar eigen leven, hoewel Sieg er altijd al over praatte, tot vervelens toe, en dat zegt al voldoende, dat ze de dood toen nog kon beschouwen als een oude oom naar wie je hoogstens uit beleefdheid luisterde terwijl je ondertussen aan iets anders dacht.

★

Al sinds het begin van Siegs ziekte wordt ze vaak midden in de nacht wakker. Ze heeft niets gedroomd, of herinnert zich dat niet, en ze hecht hoe dan ook geen waarde aan dromen. Het ene moment slaapt ze, en het volgende moment is ze klaarwakker en luistert naar het donker om haar heen, luistert met ingehouden adem zonder te weten wat er mis is. Het kan seconden duren voor ze merkt dat ze naast zich niemand hoort, geen snurken of zacht kreunen, zelfs niet de kalme adem van de slaap, en daarna is het donker leger, killer dan voorheen. Op andere momenten weet ze het zodra ze wakker wordt, alsof het woordelijk voor haar geformuleerd wordt: ik ben alleen.

Ze zijn natuurlijk belachelijk, deze gevoelens, eerder geleend uit een film of een boek dan werkelijk van haar, want waarom zou je een man plotseling zo missen als hij altijd al het liefst in de logeerkamer sliep. Soms probeerde ze te doen alsof hij op de lege plaats naast haar lag en haar aanraakte, maar telkens weer besefte ze ergens halverwege hoe belachelijk die poging was en hoe belachelijk zijzelf zoals ze daar met gespreide benen lag, zodat niet zij maar haar lichaam abrupt stopte met iets waar ze toch al nooit in had geloofd. Hoe had ze kunnen weten dat ze vooral het samen slapen missen zou, zijn ademhaling naast haar oor, zijn arm om haar heen, zijn hand niet op haar borst maar in een kommetje op haar buik. Haar lijf heeft het afgeleerd dat andere te missen, zo geleide-

131

lijk is ze opgedroogd, versteend, gestold. Langzaam is ze haar beweeglijkheid verloren; er stroomt al jaren niets meer. Het verbaast haar dat uitgerekend dit dorre lichaam achteraf nog haar huwelijk probeert te veranderen om oprechter, heviger te rouwen.

Niet dat ze niet van hem hield. Toen hij nog ziek was pakte ze iedere ochtend haar plastic tasje, stopte daar een sinaasappel en een aardappelschilmesje in – dat hadden ze daar ook, maar ze vond het prettig haar eigen spullen te gebruiken en daar lag alles door elkaar –, een stapeltje tijdschriften en schone kleren voor Sieg, en stiefelde nog voor het licht werd naar hem toe, de stad was rustig rond die tijd, trager dan overdag, de lucht een aarzelend geelblauw boven de hoge huizen. Ze vond het fijn om de deur achter zich dicht te doen en ergens naar op weg te gaan, door de lege straten te lopen, in de verte een vogel te horen die ze nooit eerder had opgemerkt, de vogel noch de verte, overdag bleef zoveel onzichtbaar. 's Ochtends vroeg zou het het einde van de wereld kunnen zijn, of een geheime afspraak, en ze kon het niet laten om samenzweerderig te lachen naar de weinige voorbijgangers die ze tegenkwam en vaak lachten zij terug, zelfs wanneer ze jong waren en rastahaar hadden en in alle opzichten heel iemand anders waren dan zij; voorbijgangers die haar zagen als die forse vrouw in haar te grote jas en altijd met een plastic tas bij zich, je kunt er de klok op gelijkzetten wanneer ze de deur uitgaat.

En ook dat mist ze nu, hoe hij ziek veel meer aanwezig was dan eerder, een reden was om op te staan en naar hem toe te gaan, een tijd en ritme aan te houden, terwijl ze nu de hele dag zou kunnen blijven slapen zonder dat iemand het zou merken. Mogelijk zou Siegfried haar ook niet hebben gemist als ze niet was komen opdagen, maar hij was nooit zo goed geweest met gevoelens, en het gaf haar iets wat moest gebeuren. Dat was haar terrein, de dingen die moesten gebeuren, de kinderen naar school, het eten op tafel. Nu is het plotseling niet vanzelfsprekend meer om 's morgens uit bed te komen. Tot nu toe is het haar elke ochtend gelukt, hoewel er niets meer is in de dag die op haar wacht, zo lang mogelijk houdt ze zich bezig met het leegruimen van het huis, zo traag mogelijk pakt ze hun spullen bij elkaar, alles wat nu nog bewijst dat ze hier hebben bestaan, de dingen die het gewicht van hun leven dragen, de ballast die ze langzaam maar zeker zal verliezen als ze eenmaal alles heeft ingepakt om weg te gaan, te verhuizen naar de goedkope portiekwoning die ze heeft gevonden. 's Middags bezoekt ze George, het mesje moet ze thuis laten, maar hij is blij om haar te zien.

Gewoontes, weet ze, zijn belangrijk.

Sieg begreep dat niet, met zijn hoogdravende ideeën over inspiratie en de goddelijke adem van de muzen, maar wat had er in de afgelopen jaren van haar moeten worden zonder gewoontes om op te vertrouwen? God weet dat ze die nodig heeft gehad. Mijn enige verstand zit in mijn handen, zei ze vaak, Sieg uitdagend om er tegenin te gaan, wat hij nooit deed omdat hij wist dat hij haar handen nodig had, dat al zijn kennis niet genoeg was om hem overeind te houden.

Anders dan de meisjes liet hij zich graag troosten, waardoor ze het gevoel kreeg dat ze moeder was van alle drie, of zelfs meer van Sieg. De meisjes verstarden juist wanneer zij hen omhelsde; hun lichaam maakte wel de vorm van een omhelzing, maar met gespannen spieren als bij een dier dat afzet voor de sprong. Nu is Clarissa nog het enig overblijvende obstakel tussen Ismeen en de dood, één dochter al verdwenen, en dat is een reden om door te gaan, een moeten dat het opstaan gemakkelijker maakt, ook al weet ze niet hoe ze zou kunnen praten met haar overgebleven kind, wat ze zou moeten zeggen. Zolang Siegfried nog leefde had ze zichzelf verboden aan zijn dood te denken. Ze was een nuchter mens, toch was ze bang dat haar gedachten de toekomst konden beïnvloeden, dat er een kleine kans was dat Sieg beter zou worden en dat pessimisme van haar kant zelfs die kleine kans nog zou verstoren. Ze geloofde het niet echt, toch durfde ze het ook niet als onzin af te doen – zoals de meisjes, toen ze al iets ouder waren, niet meer zoals vroeger geloofden in de monsters van het donker, maar toch 's avonds niet alleen naar hun kamer durfden, niet in hun eentje door de lange gang waar de staande klok op onregelmatige tijden sloeg. Het had haar altijd plezier gedaan om hen door dat donker te loodsen, hun zweterige handjes in de hare, en soms vroeg ze zich af of dat het was waarom mensen ervoor kozen om kinderen te nemen of te krijgen, het besef voor één iemand onmisbaar of tenminste toch nuttig te zijn.

Toen ze zwanger was, zelfs toen haar buik al vol en zwaar en helemaal van hen was, was ze bang geweest dat ze niet van hen zou kunnen houden, niet genoeg of niet goed genoeg. Maar het kwam direct toen ze hen zag, nat en schreeuwend, en Sieg zei dat het de hormonen waren toen ze tegen haar aan werden gelegd, hun huid zo warm tegen de hare, en begonnen te zuigen, Gone veel gretiger dan Ismeen, zoals ze altijd alles heviger gedaan had en ook later zou blijven doen, 'de hormonen', zei hij, en hij klonk jaloers. God, ze is moe.

★

Op het eind wist ze niet meer of hij haar hoorde – er waren momenten dat hij niets meer leek te begrijpen, maar toch praatte en van haar verwachtte dat ze wist wat hij zei, ernaar luisterde en er gehoor aan gaf – maar ze wist dat het belangrijk was dat ze daar naast zijn bed zat. Niet voor hem misschien, maar wel voor de verzorgsters die zich anders gedroegen bij mensen met familie dan bij hen die helemaal alleen zijn, degenen zonder echtgenoot of kinderen, in staat of bereid om voor hen op te komen, te ruziën met de vrouwen die ooit waren aangetrokken door de poster met de lachende, van hen afhankelijke mensen (cliënten), of die misschien gewoon de huur moesten betalen en de studie van hun eigen kinderen en het eten van hun eigen moeder die ze nooit in zo'n instelling zouden stoppen, de minachting is slecht verborgen in hun ogen. Ze heeft hen over familie horen praten toen ze niet doorhadden dat zij er was, ze heeft hen horen afgeven op dochters en op zonen en op echtgenoten, ze had toen besloten dat ze er altijd voor hem moest zijn.

Als ze had gekund zou ze hem thuis hebben gehouden, maar nu hij ergens anders stierf kon ze alleen maar naast zijn bed zitten, af en toe een bosje bloemen kopen en hem helpen als hij zich moeizaam schuifelend naar het toilet verplaatste. Ook waste ze hem in de ochtend, dat vond hij prettiger dan als een van die meisjes die hier werkten het zou doen. Zelf had ze het graag aan een professional overgelaten: het voelde ongemakkelijk om hem zijn pyjama uit te trekken, de washand over zijn magere buik, zijn billen te bewegen.

Hij had het nieuws terloops verteld, op het randje van weggaan zijn hoofd om de deur gestoken en het gezegd, 'ik ga dood aan een hersentumor', zodat zij twijfelde of ze hem wel goed had verstaan en zich daarna afvroeg of het een grapje was, of hij soms een waarzegster had bezocht die hem zoiets had voorspeld voor over heel veel jaren, zoiets buitenissigs zou bij hem passen.

Doodgaan niet.

Iemand die zo bang was voor de dood als Siegfried kon bijna niet echt sterven, het zijn altijd de mensen die niet bang zijn die een ongeluk krijgen, ziek worden of zelfmoord plegen, de mensen van wie je dat nooit zou hebben verwacht en over wie niemand zich zorgen maakte. Ze had die avond in de kamer heen en weer gelopen terwijl Fiep – ze verdomde het om dat beest Oedipoes te noemen, de meisjes had hij namen mogen geven maar de kat – zich tussen haar benen wrong zodat ze telkens bijna struikelde, twaalf passen de ene kant op, vijftien de andere, wachtend tot hij terugkwam en ze het hem zou kunnen vragen, maar hij bleef uren weg. Gone zou het zeker als eerste van hem hebben gehoord, maar wat zij wist, als ze iets wist, bleef opgesloten in haar lichaam zonder woorden, haar machteloze hoofd.

Dus bleef Clarissa lopen, twaalf passen de ene kant, vijftien de andere en onder haar voeten kraakten de planken, twaalf passen de ene kant, en denken, ze dacht als een razende zonder dat ook maar één gedachte woorden kreeg, ze ging nergens heen, ze liep alleen en kon niet stoppen, want als ze stopte zou ze vallen en dus liep ze tot haar knieën pijn deden en ze buiten adem was, twaalf passen de ene kant, en hoe ze elkaar ooit hadden ontmoet door een ambulance die met zenuwachtig knipperende lichten en wijd open deuren wachtte tot de brancard en de broeders – zei je dat tegenwoordig nog zo? – terug zouden komen uit het huis aan de overkant, en hoe iedereen maar daarnaar keek en wachtte, de mensen in de snackbar en op straat en op het terras van het café waar ze bediende, hoe alle gesprekken van tempo waren veranderd, stemmen zachter en eerbiediger waren gaan klinken, hoofden zich omdraaiden en weer terugkeken, de mensen waren nog beschaafd toen, geen ramptoeristen of sensatiezoekers en ook zijzelf was niet met haar dienblad blijven staan, maar had hier koffie neergezet en daar een uitsmijter, ze serveerden toen nog geen cappuccino op een Nederlands terras en hij had appelsap besteld en daarbij een witte boterham met garnalenkroket en garnering van sla en tomaat, en toen ze het voor hem neerzette zei hij 'theater' en zij 'pardon?', en hij keek op en zei 'het theater van de dood' en knikte naar de ambulance, waarvan de deuren net werden gesloten en pas veel later drong het tot haar door dat hij in zichzelf had gepraat en dat zijn woorden nooit voor haar waren bedoeld, alleen hoffelijk herhaald omdat ze ernaar vroeg, en toen ze heen en weer liep in de kamer leek dat misverstand een passend begin voor wat er nog zou volgen, maar die dag had ze alleen een ongekend gevoel van openheid gehad en nieuwe kansen. Het was zo lang geleden en ze liep maar en ze vroeg zich af wat Fiep ervan zou vinden, als hij doodging, of ze hem dan zou blijven zoeken zoals je wel eens van dieren hoorde, dat ze voelen dat er iets mis is, al weten ze niet wat. Alsof de kat haar gedachten las miauwde ze plotseling klaaglijk en zonder het te willen beschouwde Clarissa dat als een voorteken en daarna schold ze zichzelf uit om haar eigen gedachten en besloot thee te zetten en aan tafel te wachten tot hij thuis zou komen, en dat had ze gedaan, ze had een theezakje gepakt uit het doosje waarop ze ooit 'lekkere thee' had geschreven, maar waar inmiddels alleen nog vieze smaken in zaten, theeën om de maag- en darmwerking te verbeteren, bittere thee die laxerend werkte en enkele zakjes vruchtenthee die roken naar de kauwgomballen die ze de meisjes vroeger wel eens had gegeven, ze had water gekookt en er een zakje aardbeienthee in gehangen en daarna had ze de theepot voor zich op tafel neergezet en haar handen eromheen geklemd. Zo had ze gewacht totdat het licht werd en ze de deur beneden hoorde opengaan, altijd zachtjes, bijna heimelijk wanneer hij 's ochtends terugkwam en even heimelijk deed hij zijn schoenen uit om op kousenvoeten de houten trap naar boven op te sluipen en daarna hoorde ze de deur van Gones kamer opengaan. Ze dwong zichzelf om niet te bewegen. Ademde lang en nadrukkelijk uit, balde haar vuisten tot haar knokkels wit waren, bleef zitten waar ze zat. Probeerde niet te luisteren, wachtte een eeuwigheid tot hij de keukendeur openzwaaide, een stap naar binnen deed. Zijn gezicht zakte af, hij had haar nog niet opgemerkt en was niet blij haar te zien.

'Goedemorgen,' zei ze, en hij: 'Waarom slaap je nog niet?'

'Ik was bang.'

'Bang.'

Hij schonk zich een glas wijn in, boog voorover, toostte er zo hard mee tegen haar theeglas dat ze bang was dat het zou breken.

'Op het leven.'

Er zaten vlekken op zijn overhemd, zijn stem klonk stram. Ze wilde het hem vragen, maar ze kon het niet. Ze moest denken aan het programma over stierengevechten dat ze gister had gezien, de stier die al moe en gewond nog meer wordt geterkd door het geprik van de dolk in zijn flanken, zijn hangende machtige kop.

'Bang,' zei hij. 'Bang bang bang bang', tot het woord alle betekenis verloor.

Ze stond op en legde haar handen op zijn schouderbladen. Hij ademde gejaagd, alsof hij ergens heen moest en niet meer genoeg tijd had om die plek te bereiken. Heel even hadden ze zo bij het aanrechtblad gestaan. Toen schudde hij haar handen af en zei dat hij moest werken. Ze hoorde hem opnieuw Gones kamer binnengaan en staarde naar de koud geworden thee. Uiteindelijk had ze de huisarts gebeld voor een bevestiging van de diagnose, die ze na wat gewichtigdoenerij over beroepsgeheim gekregen had. Al weken geleden wist hij het, zei de pompeuze zak, haar man had het geweten nog voordat hij naar New York vertrokken was.

Eens, jaren geleden, had Sieg haar en Gone meegenomen op een roeitochtje. Zij had gekeken naar zijn trage, gelijkmatige bewegingen en gehoopt dat Gone niet te hard zou gaan schommelen, niet uit de boot zou springen. De zon scheen op het water, er stonden schapen op de kant en voor één keer gebeurde er niets onverwachts. Toen Sieg moe werd waren ze gaan eten op de oever. Nog terwijl ze de broodjes smeerde was Gone al onrustig geworden, maakte haar onheilspellende geluiden. 'Houd haar vast,' had ze tegen Siegfried gezegd, 'let op haar.' Zelf had ze nodig moeten plassen en toen ze weer uit de bosjes kwam waren Gone en Siegfried weg. Alleen het picknickkleed lag er nog, met de gesmeerde broodjes. Aan een ervan pikte een kraai en ze rende ernaartoe, zwaaiend met haar armen om de ongeluksvogel weg te jagen. Het dier vloog krassend op, bleef even verderop naar haar zitten kijken.

Ze had eerst geroepen, toen geschreeuwd. Er kwam geen antwoord. Het duurde lang voordat ze de hoogspanningsmast zag verder op de dijk, en het figuurtje halverwege. Ze was erheen gerend en vond Siegfried aan de voet van het ding, hij lachte. 'Wat heb je gedaan?' had ze gevraagd, hoewel ze wist dat Gone goed in klimmen was, goed – dacht ze schamper – in alles wat dieren goed konden.

'Kijk nou toch,' antwoordde hij. 'Kijk wat ze doet, hoe vrij ze is', maar Clarissa had niet durven kijken, te bang dat ze haar dochter zou zien vallen. Ze had geroepen dat ze naar beneden moest komen, hoewel ze wist dat Gone haar niet zou horen of niet naar haar zou luisteren. Gone keek alleen naar Siegrieds grijns. Het was jaren geleden dat Clarissa voor het laatst had gebeden, maar nu vroeg ze een god in wie ze niet meer geloofde of hij alleen dit voor haar wilde doen, deze keer en dan nooit meer, het gaf niet wat het kostte en dankuwel en amen en toen had ze toch moeten kijken, 'voorzichtig, voorzichtig', fluisterde ze in haar gebalde vuist.

Toen Gone boven was had ze één arm en één voet uitgestrekt en zo was ze aan het metaal gaan hangen, schaterlachend. Haar rode haren wapperden in de wind, die daar harder moest waaien dan beneden, en toen had ze haar handen tegen haar mond gezet en iets over de weilanden gebruld. De wind waaide het geluid weg, maar Clarissa wist bijna zeker dat het woorden waren, echte woorden en toch onverstaanbaar. Heel even was Clarissa bang dat ze los zou laten, gewoon omdat het kon.

Ze was zo mooi vroeger, Gone. Zo'n verminking, haar nutteloze mond, de wanhoop een wond in haar gezicht. Hoe ze zich probeerde vast te grijpen maar geen houvast vond. Het ene moment begreep ze je en vlak daarna kon ze al weg zijn. Dat te moeten zien, als moeder, dat voortdurende verdwijnen: hoe ze worstelde, verloor, en afgesneden werd. Haar stemgeluid eerst onbeholpen, alsof ze een vreemde taal sprak, later minder en minder bestaand. Te moeten toekijken hoe Gone terugveranderde in een baby, met in haar achterhoofd de stemmen van de artsen dat er wel degelijk iets aan te doen zou zijn. Ze weet niet eens meer hoe haar dochter klonk.

Ze heeft echt geprobeerd de woorden met haar te herhalen, als Siegfried niet thuis was. Er is een venster van tijd waarbinnen je een taal kunt leren, hadden ze in het ziekenhuis gezegd, voor de puberteit gaat dat het makkelijkst en daarna wordt het hoe langer hoe moeilijker, dat zult u wel herkennen? Ze hadden geen van beiden geantwoord, want Siegfried had zijn hele leven besteed aan dode talen en zij was de paar woorden Duits van haar middelbare school al lang vergeten. Clarissa heeft met Gone geoefend, zolang ze het toeliet. Gebarentaal zou een uitweg bieden, hadden de artsen gezegd. Dat ze haar moesten stimuleren voor als de ziekte over zou gaan en haar taal terug zou komen, soms gebeurde dat zomaar, zo rond het twaalfde jaar. Goedwillend leken ze haar, deskundig en bezorgd, maar Siegfried dacht er anders over. Werk met tekens, zeiden ze, simpele beelden. Er was logopedie beschikbaar, ondersteuning voor op school. Maar het kind had altijd al meer naar haar vader getrokken.

Clarissa weet nog hoe trots ze was toen ze hun eerste woordjes zeiden. Ongearticuleerde klanken waren het volgens Siegfried, maar zij hoorde er 'mama' in, heel duidelijk. Geen wonder dat hij het niet wilde horen, ze was zo trots. Ze had meer moeten aandringen, harder moeten vechten voor haar dochter. Maar de demarcatielijnen waren al getrokken en Gone was Siegfrieds gebied, zoals eigenlijk alles langzaam van hem was geworden. Het kind wist niet wat ze deed, waar ze voor koos, hoe had ze het ook kunnen weten. Zo raakte ze haar dochter kwijt, in de ruzies, het dagelijks verzet. Ze noemden haar maar zelden mama, 'papa' was het en 'Clarissa', behalve als ze pijn hadden of honger, voor dat soort praktische zaken moesten ze niet bij Siegfried zijn. Op die momenten voelde Clarissa zich het sterkst, tot op de dag dat Gone het woord 'mama' helemaal verloor. Net was het er, nu was het weg; haar verstijfde lijf, de te zware armen. De wanhoop in haar ogen: Siegfrieds triomf.

Pas toen Ismeen het huis uit ging begon ze Gones volle gewicht te voelen, een zware rots in hun te kleine huis waar ze zich voortdurend aan stootte, over struikelde en viel. Het probleem was haar dochters lichaam, dat nutteloos opbloeide en uitkwam terwijl zijzelf steeds droger, harder, ouder werd, en dan was er de schuld. Ze had haar kind niet kunnen redden, want ooit had zij Siegfried verraden en had hij haar vertrouwd. Ze had hem twee dochters gegeven, zo zeggen ze dat, en eens gegeven blijft gegeven. Ze moest wel moeder worden, het was iets in haar botten, maar Gone was het bewijs van haar bedrog, de straf ervoor, de schuld – ze kon haar niet meer zien. Er bestond geen vorm waar zij tegelijkertijd in pasten, ze woonden in hetzelfde kleine huis maar probeerden elkaar te ontwijken, keken tijdens het eten naar hun bord. Het was verschrikkelijk als Siegfried er niet was, zelfs voor die paar dagen New York, te moeten kijken naar het wrakstuk van wat hun kind ooit was. Later, toen hij ziek werd, het vooruitzicht: dit verandert nooit.

*

George leek gelukkig, dat was het eerste wat haar opviel. Ze heeft het live gezien op televisie, Ismeen had haar gebeld, hijgend, in paniek. Ze had kalm naar haar dochter geluisterd, sussend geantwoord en haar niet begrepen. Ze was te moe om bang te zijn, ze dacht niet dat de dingen erger konden worden, dat ze méér zou kunnen missen dan ze toch al deed. Automatisch had ze hun oude televisie aangezet, er een klap op gegeven in de hoop dat er geluid uit zou komen. Ze zag hem op het bordes staan, zag hem praten, hoorde niets. Maar ze kon wel bedenken wat hij zei. Dat het uit de hand gelopen was, want ja, natuurlijk had hij dit niet zo gewild. Dat zouden ze moeten begrijpen, de hordes buiten, ze zouden het moeten begrijpen. Hij hief zijn handen, een verontschuldigend gebaar. Ze riepen haar naam. Het was een ritmisch roepen, bijna als een hartslag. De menigte was één groot dier geworden en dat dier had maar één hart. Ze wilden hem niet zien, ze eisten haar op als hun prooi. Hij zei: maar het is mijn kind. Ze begrepen hem niet. Waarom begrepen ze hem niet? Het was waar. Hij stond daar maar. Hij was heel naakt, hij had geen achterkant. Ze gooiden met tomaten en met ei. Ze krijsten. Het eigeel droop van zijn gezicht op zijn overhemd.

Toen het beeld van Gone.

Clarissa zat in de leunstoel en keek toe hoe haar leven televisie werd. Ze vroeg zich af waar al die anderen vandaan waren gekomen, waarom ze het recht opeisten zich met haar en met haar dochters te bemoeien. Er was dat item op de radio geweest, het leek zo lang geleden, toen had ze hem gebeld. Hij had onderdanig geklonken, bereidwillig maar ontwijkend, alsof hij iets van haar wilde maar het niet durfde te vragen. Hoopvol. Ze had er niet op gereageerd, niet de moeite genomen om uit te zoeken wat hij van haar wilde, ze was te moe. Het radioprogramma had haar verrast, het stond aan toen ze bij Siegfried was – hij haatte radio, maar zij had iets nodig om naar te luisteren – en ze had plotseling George' naam opgevangen, iets over de villa en een meisje, zo noemden ze haar, meisje. De presentatrice had een koele, afgemeten stem, in het echt praatte niemand zo. Siegfried sliep, of deed alsof. Ze schilde de sinaasappel die ze bij zich had en zette die bij hem neer, pakte daarna haar spullen en ging weg. Thuis belde ze George. Ze vroeg hem wat hij deed, waar hij mee bezig was, zo, in het algemeen. Ze had te weinig van het bericht begrepen om specifieker te zijn. Ze voelde dat ze iets kwijtraakte, dat er iets aan het vallen was. Ze zou iets moeten doen, ingrijpen, kordaat zijn. Maar dat woord paste niet bij haar, niet meer. Ze schilde sinaasappels, dat was wat ze deed.

Ze had Gone naar George laten gaan omdat ze het nodig had alleen te zijn, harder dan ze slaap nodig had, of eten en drinken. Natuurlijk was ze bereid om voor Gone te zorgen, het was haar kind, maar ze kon er niets aan doen dat ze een fysieke weerzin voelde bij het idee om met haar in dezelfde kamer te zijn. Eenmaal had ze in het zwembad – want ze had de gewoonte opgevat om elke dag te zwemmen, hoewel ze daar niet goed in was, alleen de schoolslag beheerste en zelfs dan nog met moeite haar hoofd boven water hield – een moeder gezien met haar zwaar gehandicapte dochter, een machteloos meisje met benen als stokken dat niets begreep maar wel lachte. Van een afstandje had ze toegekeken hoe die moeder haar dochter baadde, die zelfs haar hoofd niet zelf rechtop kon houden, ze keek toe hoe die vrouw haar kind aan het lachen maakte, haar in het water droeg en zachtjes toesprak in woorden die alleen zij tweeën begrepen, en ze had een scherpe steek van jaloezie gevoeld op de toegankelijkheid van dat meisje, de openheid ervan. Haar eigen dochter was te groot geworden.

Het lag niet aan Gone, maar aan wat ze was geworden, hoezeer een verlengstuk van Siegfried, ze zou zijn arm kunnen zijn, zijn hand of zijn oog, ze was zijn pijn die hij voelde. In het lichaam van haar dochter werd alles zichtbaar, balde zich samen wat ze niet had gedaan, wel had moeten doen, wat ze had moeten weten en niet geweten had. Hoe Gone haar langzaam had verdreven uit zijn hoofd, uit zijn lijf of misschien was het omgekeerd, had hij Gone gebruikt om Clarissa te verdrijven en had hij opgelucht ademgehaald toen hij de ruimte alleen nog maar hoefde te delen met een kind en niet meer met een vrouw die zoveel ingewikkelder was en veel meer van hem eiste. Ja, eerst was ze Gone kwijtgeraakt, had haar dochter zich gesloten en van haar afgekeerd, want hoewel de dokters zeiden dat het een ziekte was bleef iets in haar lijf ervan overtuigd dat het haar schuld was dat Gone rondgekeken en de wereld afgekeurd had.

Diezelfde deskundigen hadden eerst nog gezegd dat het een traumatische oorzaak kon hebben als een kind plotseling stopte met spreken, en aangedrongen op een psychologisch onderzoek. Ze had gebloosd en zich bloot gevoeld, ervan overtuigd dat ook dat blozen zou worden bekeken en genoteerd als nieuw bewijs, ze had de arts niet meer durven aankijken. En in de auto terug naar huis had Siegfried niets gezegd maar strak naar de weg voor hen gekeken terwijl Gone op de achterbank zachtjes bleef hummen en zij zich moest bedwingen om niet tegen haar uit te vallen. Die hele avond bleef hij zwijgen, pas 's nachts in bed zei hij dat ze het wel kon zeggen als er iets was. Hij zei: 'Van moeders begrijpen ze dat, als er ooit iets is gebeurd. Je kunt het beter nu zeggen dan later, als er iets was, voor haar gezondheid.'

Ze was wakker geworden van zijn stem en had eerst niet begrepen waar hij over praatte, het had haar altijd moeite gekost om uit haar slaap terug te komen in de wereld. En toen ze het wel begreep was er een doffe vermoeidheid in haar neergezakt en ze had niet geantwoord, ze hadden zwijgend naast elkaar gelegen, die hele nacht lang had ze niet meer geslapen en geweten dat hij niet sliep, omdat haar lichaam zich afstootte van het zijne, haar huid probeerde zich hard te maken, onaanraakbaar – alsof hij ooit nog een poging deed haar aan te raken. Als ze nu terugdenkt aan die nacht – en het zijn vooral de dingen die ze ziet, het dekbed waar ze toen zo trots op was, de schemerlamp die later door Gone werd gebroken –, weet ze dat hij, of iets in hem, tevreden was, dat hij eindelijk een reden had gevonden om haar niet meer te vertrouwen. Hoe anders had alles kunnen zijn als ze dat toen had beseft, maar hij zei 'meisje' tegen haar met een zachtheid die ze van niemand anders kende, en ook met iets verlorens, en misschien was het vooral wel dat verlorene waardoor ze bij hem bleef. Want er zaten van die gebroken dingen in zijn ogen, vooral wanneer hij niet wist dat ze keek, waardoor ze vanaf het begin al dacht: met die man is ooit iets misgegaan, misschien als peuter al, iets vreselijks, er is iets scheefgelopen wat niemand op tijd gezien heeft, het is niet gestopt. Ze wist niet wat, maar ze kon zien dat het was doorgegaan, dat iets in hem was doorgegaan, steeds schever, en later had hij met de grootst mogelijke moeite al die scheefheid in het lichaam van een volwassen man geperst. Hij had iets kinderlijks dat er altijd al was en dat weigerde weg te gaan, de manier waarop hij in zichzelf geloofde, zoals de meisjes dat als peuters deden – dat ze dachten dat de dingen pas ontstonden als zij die ontdekten. Net als een kind was hij niet bereid om compromissen te sluiten, te onderhandelen, te buigen voor wat de wereld van hem wilde. Normaal te doen. Dat was het: hij paste niet in het normale leven, je kon zien dat hij niet bestand was tegen al die doodgewone dingen. Wat iedereen deed zonder erbij na te denken was in staat om hem kapot te maken en daarom moest ze bij hem blijven, omdat hij zonder haar zou breken. Ze was gaan staan tussen hem en de wereld die hem aanviel, beschermde hem tegen die aanvallen met haar vermoeide lijf dat nuttig werd door er voor hem te zijn, en daarom deed het pijn toen hij zich van haar afkeerde en er alleen vermoeidheid overbleef. In elk huwelijk moet er iemand de sterkste zijn en hier was zij dat, ze rechtte haar rug als Siegfried instortte, vulde de belastingformulieren in wanneer hij droomde over een wereld zonder materie, soms kwam hij 's nachts bij haar, zei: 'Ik heb het gevoel dat er iets vreselijks gebeurd is, iets verschrikkelijk misgegaan, ik weet niet wat', en het hielp niet als ze hem probeerde te troosten, 'als je het niet meer weet, dan kan het niet belangrijk zijn wat er dan ook gebeurd is, áls er al iets is gebeurd'. Maar het maakte hem wanhopig, hij zei: 'Ik weet het niet, ik weet het niet', en zij voelde een knagend schuldgevoel over wat hij nooit zou horen.

Toch had ze hem gesust, getroost omdat ze wist dat hij de zwakste was. Ze was ervan overtuigd geweest dat zij hem wel zou redden uit de zwaarte waarin hij opgesloten zat, tot die nacht dat hij haar op vragende toon had beschuldigd van het stelen van Gones stem, toen had zijn zwartheid ook haar gevonden en verstikt. Waar zij leefde kon hij niet zijn, hoewel ze voelde hoe hij hunkerde naar haar vanzelfsprekendheid, de stralingswarmte die zij voor hem verspreidde. Maar wat ze voor hem was geweest leek nu verdwenen en in plaats daarvan werd ze een obstakel dat hem in zijn beweging stopte, afstootte. De enige aanraking die hij haar ooit nog zou geven na die nacht: de voorzichtige beweging van zijn vinger die aarzelend over haar arm wreef, soms.

Er zijn landen waar ze kinderen een ei geven, een ei dat niet mag breken, om hun te laten zien hoe zwaar het is, moeder te zijn, en inderdaad waren haar kinderen als eieren, als dat figuurtje, Humpty Dumpty, vol van zichzelf en zo breekbaar, zo goed in staat tot onherstelbaar kapotgaan. Ze kan nog niet begrijpen dat ze het heeft gekund, al die dingen die ze moest doen, die van ouders worden verwacht, gewoon zijn: de kinderen de eerste keer naar buiten laten gaan, een straat laten oversteken, de eerste keer alleen naar school, naar de balletles. Zonder schaal, zonder bescherming, er was zoveel dat mis kon gaan, Gone in haar donkerblauwe houtje-touwtjejas, haar armen wijd door de truien die ze eronder droeg, de wollen muts op haar rode haren en ook haar wangen rood van de kou. Als een meisje uit de prentenboeken, zo zag ze eruit, en Clarissa was bang geweest dat iemand haar zou meenemen, gewoon omdat hij het niet laten kon. Ze was zo vaak ongerust geweest dat Trudy haar erom uitlachte, maar ze was altijd bang geweest voor iets, iemand van buiten.

Maar terwijl zij stapje voor stapje de meisjes liet gaan legde Siegfried hen vast in zijn *Idylles*, vreselijke dingen, angstaanjagend. De afgelopen dagen was ze systematisch door het huis gegaan, had doos voor doos en vuilniszak voor vuilniszak gevuld, ze had mechanisch gewerkt en zonder na te denken. Maar op de drempel van zijn werkkamer was ze blijven staan met één hand op de deurknop. Het was verkeerd om naar binnen te gaan, hem zo te ontmantelen terwijl ze elk moment het idee had dat hij binnen zou komen om te vragen wat ze met zijn spullen deed. Ze stapelde zijn boeken op die haar niets zeiden, ze vond de whiskyfles in zijn bureau en 's avonds had ze daarmee op hem geproost. Ze kon slecht tegen alcohol en toen ze – niet dronken – aangeschoten was, de lege ruimte draaiend om haar heen, was ze naar de werkkamer gewankeld en had de gipsen koppen stukgesmeten. Met één zwaai van haar arm had ze de *Idylles* van hun plank geveegd en daarna had ze erop gestampt, erop gedanst tot er alleen nog een stapel verfrommelde papiertjes op de grond lag, maar toen ze dat besefte moest ze huilen en probeerde ze op haar knieën de hoofden terug te krijgen op de lijven, de stukjes van haar leven dat voorbij was aan elkaar te lijmen.

Eenmaal was ze die kamer binnengegaan en had op hem gewacht, achteraf lijkt het zo dom, zo hopeloos verkeerd. Maar wat wist zij toen, ze had alleen de films waarin vrouwen dat deden, op hun man wachten in openvallende peignoirs. Ze moest iets doen om door zijn huid, zijn stilte en zijn traagheid heen te breken, het groeien van de stenen om hen heen te stoppen. Ze wachtte tot ze wist dat hij zou komen, de meisjes waren zwemmen en het huis was leeg, ze wachtte tot de deur geopend werd. Er was geen muziek, maar ze neuriede 'Pink Panther', neuriede met klakkende tong op een manier die haar uitdagend leek, terwijl hij in de deuropening bleef staan, zijn leren tas onder één arm, zijn jas nog aan en zij haar peignoir liet openvallen, wat onhandig, haar bleke lijf daaronder, haar borsten, haar tedere borst, dacht ze, in woorden die niet de hare waren, haar tedere borst en het netwerk van blauwe adertjes dat daarop zichtbaar was. Hij zei niet dat ze moest ophouden, maar zijn hand omklemde de leren tas zo stijf dat zijn knokkels wit werden. Langzaam bewoog ze zich in zijn richting, des te meer bloot doordat hij zijn jas aanhield. Hij stond en keek naar haar. Hij keek zoals hij naar een wild dier zou kijken, of een aanstormende auto. Hij stond doodstil terwijl zij doorging met bewegen, want wat kon ze anders doen. Het was niet mogelijk om op te houden, toe te geven dat ze hier niet zou moeten zijn: er was geen weg terug. Ze kon alleen maar dichter naar hem toe komen, haar handen op zijn schouders leggen, zijn handen op haar borsten en zijn jas openritsen. Onder zijn kleren voelde hij dood. Hij was niet zomaar afwezig, het was een dieper niet-zijn, een ontkenning waarin ook zij dreigde te verdwijnen, hoewel ze nog even probeerde door te gaan met de bewegingen die ze uit de films had geleend, aanhalig zoals een ander soort vrouw aanhalig zou zijn, maar het tempo vertraagde, haast buiten haar om, en stokte ten slotte en hij rukte zich los en verdween. Ze was in de deuropening blijven staan toen ze de buitendeur achter hem hoorde dichtslaan en ook daarna nog, wachtend, stilgezet.

Zo groot waren haar dromen toch niet, toch niet zo erg onbescheiden. Hij heeft haar niet eens zien verdwijnen, heeft domweg niet gemerkt hoe hun gezin ineenstortte en implodeerde zoals zijn geliefd imperium, hij kon over Rome vertellen alsof hij er net was geweest, maar theezetten kon hij niet. Siegs intelligentie was hevig als een sneeuwbui, iets lastigs waar je doorheen moest en dat je verblindde, in vlagen tegen je gezicht sloeg en je desoriënteerde. Hij zei nu eens het ene en dan weer het andere, hij zei 'enerzijds, maar anderzijds' en je had geen idee wat hij bedoelde. En als ze daarover klaagde zei hij dat de sofisten hetzelfde deden en zij stampvoette dan, omdat ze niet wist wie dat waren en zich niet kon voorstellen dat ze belangrijk waren, omdat zij de kinderen wilde opvoeden tot volwassen, vriendelijke mensen en hij ze stapelgek maakte. Want soms liet hij zijn voorzichtigheid plotseling los, met opluchting leek het, om zich halsoverkop in het een of andere radicale standpunt te storten, zoals toen ze de babykamer geel wilde verven en hij in de winkel een krankzinnig betoog afstak over alle mogelijke kwade betekenissen van die kleur, ze had zich doodgeschaamd.

'Hij ziet de dingen niet zoals ze zijn,' had ze geklaagd tegen Trudy. Die antwoordde dat dat voor alle mannen gold, dat die van haar laatst nog met modderpoten was komen binnenlopen terwijl ze net alles gedweild had: 'Dat zien ze niet, daar kunnen ze niks aan doen.' En zij had willen zeggen dat dit anders was, dat zij door de openstaande deur naar hem had gekeken toen hij zich over het wiegje boog en dat ze bang was geworden maar niet kon uitleggen waarom. Ze had willen zeggen dat hij verhalen en sprookjes verzon en niet wilde toegeven dat het niet echt was, dat ze hem vond terwijl hij deed alsof hij dood was en dat de meisjes een begrafenisdienst voor hem organiseerden, Gone met haar handen gevouwen en een krans madeliefjes op haar hoofd alsof zij het was die doodging. Maar Trudy zou alleen maar zeggen dat ze blij moest zijn dat hij met de kinderen speelde – 'ik vind het al heel wat als ik hem thuis kan houden op hun verjaardag' – en dus zei ze niets. Ze had hem gevraagd waarom hij dat gedaan had, van die begrafenis, en hij zei dat hij wilde zien of ze verdrietig zouden zijn en wat ze zouden zeggen, hij zei: 'Dat maak je zelf nooit mee.'

Ja, ze had altijd gedacht dat kinderen krijgen een inwijding betekende, een initiatierite. Ze had uitgekeken naar het moment dat ze het zelf zou kunnen uitspreken, dat kleine maar zo superieure zinnetje: 'Dat kun je pas begrijpen als je zelf kinderen hebt.' Het enige waar ze niet op had gerekend was dat ze haar kinderen helemaal niet zou begrijpen. Nog voor hun tweede verjaardag trokken ze zich terug in een wereld die buiten haar bereik lag. Op het consultatiebureau werd haar verteld dat ze niet ongerust moest zijn, tweelingen deden dat, het zou wel bijtrekken, ze moest het maar even in de gaten houden, en hoe ging het verder met de verzorging? Dan durfde ze niets meer te zeggen, bang dat iemand haar zou vragen of ze het moederschap – ook zo'n woord – niet beter aan anderen kon overlaten die er meer verstand van hadden, bang voor een aantekening in het dossier. In het begin, dat wist ze zeker, was het anders geweest, had ze niet zoveel nagedacht over hoe het moest en wat er mis zou kunnen gaan. Ze kan het zich nu nog maar nauwelijks voorstellen, maar ze herinnert zich hoe ze in het begin naar Sieg had gekeken, vertederd en misschien een klein beetje meewarig omdat hij, die alles wist, nu zo onhandig was en niet goed leek te begrijpen wat zijn dochters van hem wilden. Hij aarzelde, dat was duidelijk te zien, ze had gedacht, hij is een man, hij kan wel alle babyboeken lezen maar toch begrijpt hij niet waar het om gaat, niet echt, ze had gedacht, hoe zou hij ook kunnen begrijpen wat dat echt betekent, moeder zijn, en dat had ze gekoesterd, die plek die alleen van haar was, buiten het bereik van zijn verstand.

Alles was zo snel veranderd, anders gegaan dan zij wilde.

Als ze de kinderen oppakte kwam hij er met een boek bij staan om haar te zeggen hoe het moest. Eerst lachte ze hem uit, maar langzaam groeide de twijfel en trok zich als een klimplant aan haar op, zoals wanneer hij zei dat ze de fles moest geven – hij haatte borstvoeding en moedigde haar aan om er zo snel mogelijk mee te stoppen. Hoe ongemakkelijk voelde ze zich toen ze op het consultatiebureau moest uitleggen dat ze geen borstvoeding gaf, de dikke vrouw tegenover haar keek argwanend en krabbelde iets in het dossier, maar Siegfried wilde niet luisteren: 'Je bent geen koe,' zei hij, 'ik hoef je uiers niet te zien.' En later ging het over wat ze wel of niet moest koken voor de kinderen en hoe ze de messen moest neerleggen, de paprika het best kon snijden, wat het eerste woordje van de meisjes was en hoe ze moesten leren praten, of ze Gone mocht bestraffen als ze onbeleefd was en onhandelbaar, of ze dat wel onhandelbaar mocht noemen, of Ismeen verlegen was of gewoon saai, zoals hij dacht.

Opnieuw en opnieuw legde hij uit, met een air alsof het alles zou verklaren, hoe het verhaal ging over Oedipus' dochter Antigone, degene die haar blinde vader door het bos naar de plek had geleid waar hij vredig kon sterven. Ouderwetse woorden gebruikte hij altijd als hij over zijn vak praatte, soms was het alsof ze naar een vreemde taal luisterde, een boek van dertig jaar geleden, niet het soort boek dat zij graag las, en ze begreep niet wat het te maken had met Gone, die hier was en dwars was, of ziek.

'Philia, dichtbij, bemind te zijn, is niet eenvoudig in het huis van Thebe, waar de arme koning Oedipus tegelijkertijd de vader en de veel oudere broer is van zijn kinderen, afstammelingen van dezelfde moeder. Koinon autadelphon, ze komen uit dezelfde plaats, groeiden in dezelfde baarmoeder, waren vroeger veilig bij dezelfde vrouw, die hun luiers verschoonde en hun tranen droogde, en nu is Antigone nog altijd afgesloten van de buitenwereld, die vijandig is en hard, terwijl ze verlangt naar alles wat familie is en alleen daarom veilig lijkt, ernaar verlangt dwars door de wetten en de grenzen van het redelijke heen, ernaar verlangt en het verschil negeert tussen de levenden en doden, over het graf heen verlangt ze nog.'

Urenlang kon hij zo doorgaan, hij praatte tot ze niets meer wist.

'Er is iets mis met haar,' zou zij uiteindelijk zeggen om hem te stoppen, het was bijna een ritueel.

'Er is helemaal niets met haar,' antwoordde hij dan zuchtend, maar nooit gealarmeerd. Dichtbij, bemind te zijn, is niet eenvoudig, en nu, zoveel jaar later, vraagt ze zich af waar Ismeen is en wat ze denkt en of die Peter bij haar is, of hij haar een deken geeft, een warme beker thee, een kat voor op haar schoot. Ze vraagt zich af of Siegfried voor zijn tweede dochter misschien net op tijd gestorven is.

Ze heeft haar kind gewiegd toen het er niet meer was en bijna niets meer woog, pas toen lag Gone rustig in haar armen. Zo heel langzaam was ze meer van hem geworden, werden ze samen kleiner, gingen verder weg en ja, misschien was zij het zelf die zich uiteindelijk verwijderde, de hoop opgaf om hen nog te bereiken. Het was geen kwade wil, alleen maar onvermogen, zo langzaam waren alle afstanden gegroeid. Als in een zwart, kwaadaardig sprookje waarin niemand nog hun huis had kunnen vinden, ook haar ouders en haar broers niet die haar gewaarschuwd hadden, nooit begrepen hadden wat ze moest met zo'n oude vent, zo'n intellectueel, en uit hun mond was dat een scheldwoord. Wat overbleef was de vraag hoe het had kunnen gebeuren. Een vals houvast, die vraag, haar enige gezelschap nu het antwoord er niet meer toe doet. Het gebeurde gewoon, het is gebeurd. Ze wist al dat het mis was voordat ze hem die ochtend vond. De stilte was anders, dieper dan normaal, de stilte van een zonsverduistering, hoewel de merel buiten gewoon zong. Toen ze de kamer binnenkwam zag ze dat hij verdwenen was uit zijn gezicht, dat gladgestreken leek te zijn en meer ontspannen dan ze hem bij leven had gekend, en alleen daarom had ze de deken teruggeslagen en was ze naast hem in bed gekropen. Zijn lichaam was nog warm, hij lag in foetushouding, zijn lijf gekromd alsof hij probeerde iets te beschermen en ze was achter hem en om hem heen gaan liggen, als altijd aan de buitenkant.

Nu pas, nu ze alleen is, schreeuwt haar lichaam om wat het verloren heeft, schreeuwt tot in zijn cellen. Nu is haar buik een holte, zijn haar borsten zwaar, verlangend. Is dit het dan, een kind verliezen, dit lichaam dat stapje voor stapje ontdaan wordt van alles wat het eerder, onopgemerkt, overeind hield, zoals het huis steeds leger is geworden, de spullen die van hen waren, de eigenheid heeft afgelegd? Ze denkt vaak aan dat vermiste meisje, lang geleden, het vertrouwen in die papieren ogen en de moeder die achterbleef met niets dan haar eigen stem, het roepen in de leegte, eerst verveeld en later boos, 'jongedame, als je nu nog niet luistert' en 'moet ik je soms komen halen? Ik tel tot drie: één..., twee..., drie', en de belachelijkheid daarvan, van het tellen en het dreigen, wanneer doordringt dat er niemand is, geen antwoord kan worden verwacht. Pas veel later de wanhoop.

Siegfried

Ze was de eerste aan wie hij het vertelde, boven de *Idylles*. Ze knipte een figuurtje uit papier, de contouren van een meisje. Hij keek naar de sierlijke beweging van haar handen, de aderen vlak onder haar huid en begon plotseling te huilen, hij kon er niets aan doen. De snikken stroomden uit hem alsof iemand een blaasbalg indrukte, zijn lichaam zakte in, verfrommelde. Tegelijkertijd was hij zich sterk bewust van de manier waarop zij naar hem keek, hij dacht, ik kan hier nooit naar terug, zelfs als ik wil kan ik nu nooit meer terug. En Gone keek alleen naar hem, ze raakte hem niet aan. Pas veel later, of zo leek het, legde ze haar hand open op het tafelblad en hij was dankbaar dat ze zich niet opdrong, dat haar hand daar wachtte op het hout maar dat zij zich niet naar hem toe boog, hem niet omhelsde, hoewel hij ook verlangde naar iemand om hem te beschermen op de manier waarop een lijfwacht kogels opvangt, hij dacht aan Hölderlin: *Hij houdt veel van kinderen, maar ze zijn bang van hem en rennen weg. Hij heeft een ongewone angst voor de dood en is in het algemeen zeer bang.*

Ze kon niet antwoorden, niet zeggen dat alles goed zou komen, en ook daar was hij dankbaar voor, op diezelfde gemengde manier. Ze wachtte en terwijl ze wachtte zag hij vluchtige vermoedens over haar gezicht trekken, maar buiten dat toonde ze geen gevoel. Ze keek bezorgd, maar niet wanhopig. Het was niet dat ze niet om hem gaf, ze bestudeerde hem. Terwijl hij praatte verlangde hij ernaar zijn hoofd in haar schoot te leggen, maar natuurlijk deed hij dat niet. Toen was hij toch voor haar geknield en zij, daar was hij zeker van, had hem begrepen. Had stil naar hem geglimlacht en hij had zich verborgen in haar lange rode haren. Even waren ze zo blijven zitten. Toen was ze naar de kast gelopen waar de *Idylles* stonden, had er een uitgekozen die hen tweeën voorstelde. Met een weloverwogen gebaar liet ze haar vuist hard neerkomen op de tere papieren poppetjes. Ze keek naar de vermorzelde gestaltes op de tafel, toen naar hem. Ze glimlachte.

Daarna ging het snel. Het aftakelen van zijn lichaam dat steeds meer en steeds nadrukkelijker om aandacht vroeg. In het vliegtuig het verlies van zijn gezichtsvermogen, na die vreselijke gedachte, eerder een inzicht dat plotseling over hem neerdaalde: als hij zich als kind zou hebben gedragen was nu alles anders geweest. Zijn pogingen spijt te betuigen die Gone onrustig, Clarissa hysterisch maakten en die door niemand echt werden begrepen. Ten slotte zijn vertrek uit huis, als je zo'n aftocht een vertrek kon noemen. Nu hij niet meer kan lezen of schrijven heeft hij niets te doen en daarom alle tijd, maar alle tijd is veel te weinig tijd en de weinige tijd die hij heeft verspilt hij met wachten.

Wachten tot Gone komt.

Hopen dat ze komt, dat ze nog één keer komt.

Hij zou, in theorie, zijn Hölderlinproject weer kunnen oppakken, maar de staat waarin dat verkeert ontmoedigt hem. Ooit stelde hij zich voor dat hij dat project over de verdwaalde, verloren gegane dichter met Ismeen zou delen, ze zouden samen over het bureau gebogen zitten en zij zou pinnig zijn schrijfsels corrigeren, een ballpoint bungelend in haar mondhoek. Nu is de tijd er niet: zijn pensioenleeftijd zal hij nooit halen. Dat is niet erg, hij had opgezien tegen het verplichte feestje en het gapende zwarte gat van tijd daarna, om van de gedwongen verhuizing niet te spreken en wat dat met Gone zou doen. Ze zouden de conclusie aan hem laten, zeggen dat het voor haar tenslotte ook het beste is als ze haar eigen leven kan leiden, terwijl hij haar juist dat had willen geven. Die valse vormen van redelijkheid, de schijnbaar diepbewogen stemmen van mensen die ondertussen toch op hun horloge keken.

'Wie zouden we zijn zonder tragedie?' had Siegfried gevraagd op wat zijn laatste dag als leraar zou worden. Hij draaide zich om naar de klas. 'Wat zou er van ons overblijven als we geen helden hadden, als we niet konden verlangen naar de goden op hun Olympus en hen niet konden vervloeken om hun grillen, wie zouden we nog zijn?'

Ze luisterden niet naar hem. Hij hoefde niet naar hen te kijken om dat te weten, hun aandacht was iets wat hij voelde aan zijn huid, een trilling in de lucht die er wel of niet was. De laatste tijd vaker niet dan wel.

'Jij, Yuri, noem een voorbeeld van een hedendaagse tragedie.'

Yuri – een jongen die zijn vriendelijke gezicht probeerde te compenseren met dreigende teksten op te grote capuchontruien – had het te druk met zijn buurman om de vraag te horen. Toen uiteindelijk tot hem doordrong dat de vraag aan hem was gesteld, schrok hij op, keek sullig om zich heen als iemand die uit een lange slaap gewekt is, zei toen: 'Een verkeersongeluk.'

'Nee, Yuri, fout. Er is niets tragisch aan een verkeersongeluk, waarom is er niets tragisch aan een verkeersongeluk?'

Stilte. De vloer van de klas leek lichtjes te schommelen. Hij had diep uitgeademd om zijn duizeligheid te bezweren en stelde toen pas zijn volgende vraag.

'Iemand anders dan Yuri?'

'Maar het is toch erg?' probeerde Diane, ijverig maar dom. 'Een verkeersongeluk is toch erg, meneer?'

De meeste leerlingen probeerden op opvallende wijze onopvallend te zijn, staarden strak naar het schrift dat voor hen op tafel lag. De brutaleren keken hem gewoon recht aan, ervan overtuigd dat hij hun niet de beurt zou geven. En ze hadden gelijk: het was gemakkelijker om zelf het antwoord te geven. Zo'n nederlaag zou hij vroeger niet hebben geaccepteerd, maar nu was hij te moe om nog te blijven aandringen.

'Een verkeersongeluk is misschien wel erg, Diane, maar niet tragisch, omdat het stom toeval is. In een tragedie roept de held de rampen die hem overkomen over zichzelf af. Hij is hooghartig tegen de goden, of hij probeert zijn lot te ontvluchten.'

'Eigen schuld, dikke bult,' mompelde iemand achter in de klas, Siegfried kon niet horen wie.

'Precies! In een tragedie is iederéén schuldig, maar niemand verantwoordelijk, elk speelt zijn eigen rol en krijgt zijn deel.' Hij voelde dat de klas weer afhaakte, de leerlingen verafschuwden zijn ouderwetse taalgebruik – 'Man, het lijkt soms wel of je een vreemde taal spreekt,' had de rector tegen hem gezegd, 'het is toch geen Duits of zo?'

'Dat is het punt,' hernam hij zich, 'dat je in een tragedie het deksel op je neus krijgt juist omdát je doet wat van je wordt verwacht. Neem Oedipus.'

Lesgeven was tegen de stroom oproeien, hoewel de leerlingen zich nog wel lieten vermaken door de eeuwenoude verhalen, vooral wanneer er seks in voorkwam. De nieuwe rector had het nodig gevonden posters op te hangen met daarop korte zinnetjes als 'Lysistrata: geen vrede, geen seks', 'Odysseus: into temptation' en 'Zeus: de mijne is goddelijk'. Siegfrieds protesten tegen die vulgarisering hadden niets uitgehaald. De rector luisterde vriendelijk maar verveeld en gaf hem daarna een klap op zijn schouder: 'Het is al heel wat dat we hier nog Latijn geven. Chinees is waar ouders tegenwoordig om vragen.'

Siegfried haatte het als iemand hem ongevraagd aanraakte en uiteindelijk was hij gezwicht voor de posters, of dat hield hij zichzelf voor. In werkelijkheid maakte het, zoals hij ook wel wist, niet zoveel uit wat hij ervan vond: als het leerlingenaantal te veel daalde zou het vak worden opgeheven. Dus verschenen de posters in de gangen en wendde Siegfried consequent zijn hoofd af als hij er een passeerde. Hij had er altijd waarde aan gehecht de afstand tussen hemzelf en zijn leerlingen zo groot mogelijk te houden – hij was de enige leraar die nog met 'u' en 'meneer' werd aangesproken. Ook daar was de rector over begonnen toen Siegfried over de posters klaagde: het zou niet passen bij het beeld dat de school wilde uitdragen.

'Wij zijn hun vrienden, weet je, ze moeten toch bij ons terecht-kunnen.'

'O ja?'

'Doe toch niet zo stijfjes, Van Oort. Ik wed dat je onder dat kostuum van je best een geschikte kerel bent.'

De rector was in zijn studententijd lid van het corps geweest, een niet te onderschatten voordeel voor een school als deze die, zoals het laatst in een beleidsplan was geformuleerd, 'het hogere segment van de markt beoogt te bedienen'. De man was nog geen veertig: feitelijk een kind. Op de laatste open dag, als altijd aangekondigd door koortsachtige activiteit van de schoonmakers (of interieurverzorgers zoals ze in het *newspeak* van tegenwoordig schenen te heten), had hij rondgelopen alsof het hele landgoed zijn eigendom was. Aan het einde van die dag had Siegfried gehoord hoe hij oudere docenten omschreef als fossielen: 'Het is een kwestie van de tijd uitzitten, voor ons net zo goed als voor hen. Ze zijn er nu eenmaal; we kunnen ze moeilijk ontslaan.'

Siegfried beschouwde zijn werk bepaald niet als de tijd uitzitten, hoewel de nauwelijks verborgen desinteresse van de leerlingen hem uitputte. Wanneer iemand een intelligente vraag stelde – in deze klas meestal Nathalie, die nu duidelijk zichtbaar haar ongeduld verbeet – leefde er iets in hem op en ging het even gemakkelijker, waarna ze al snel weer verzandden in het vermoeiende ritme van altijd. De leerlingen tolereerden hem. Ze lieten welwillend toe dat hij hier voor de klas hun gezichtsveld vulde, hun aandacht vroeg, maar hij was te oud om relevant te kunnen zijn. Wie dat niet erkende maakte zichzelf belachelijk. Johan van wiskunde had er een gewoonte van gemaakt om op zijn hoofd te gaan staan als hij een pauze in het blokuur aankondigde. 'Jullie mogen nu iets voor jezelf doen. Op je hoofd staan bijvoorbeeld.' Eens passeerde hij de klas op dat moment en was door het raam blijven kijken: het rode, opgetogen hoofd van Johan op de grond, zijn benen hulpeloos bungelend in de lucht en tegenover hem de scholieren in de greep van een verveling die aan irritatie grensde. Johan was trots op zijn band met de leerlingen, maar wat kon je verwachten, de man reed een Harley.

Zelf kromp hij vaak ineen onder hun onverschillig staren. Het is een wonder, zeiden die blikken, dat jij hier ook leeft, op deze wereld die van ons is, waar jij vroeg of laat verpletterd zult worden onder onze opmars, het is een wonder, maar daarom nog niet interessant. Zijn eigen kinderen hebben nooit zo naar hem gekeken, hem nooit zo onbelangrijk gemaakt. Als twaalf-, dertienjarige was Ismeen onvoorspelbaar geworden, was van gespannen bewondering naar neurotische woede gezwenkt, haar armen stijf gekruist tegen haar borst, haar gezicht bevroren vlak voordat ze in een uitbarsting van geluid naar haar kamer stampte, maar ook in haar woede school bewondering. Ze had zo veel manieren om hem duidelijk te maken wat hij haar had ontnomen, alle mogelijke zelven die ze niet geworden was. Ismeen verschool zich achter de muren van de universiteit zoals hij dat vroeger zelf had gedaan. Voor hem was het een opluchting geweest om dode talen te bestuderen, de vergane glorie, het gesloten wereldje van vergeeld, knisperend papier en professoren die uit een inrichting leken te zijn ontsnapt. Uitnodigingen van medestudenten sloeg hij af totdat ze niet meer kwamen, in werkgroepen antwoordde hij alleen wanneer hem wat gevraagd werd. Het was er veilig genoeg om zich langzaam min of meer te kunnen uitvouwen, in elk geval de uiterlijke vorm weer aan te nemen van de anderen die zich zo soepel om hem heen bewogen, maar de kern van vertrouwen, het zomaar weten wat te doen had hij nooit meer bereikt.

Eens keek hij samen met Ismeen naar een film over het primitieve leven, ze zal een jaar of elf zijn geweest en Gone sliep. Voor de camera probeerde de beroemde, zwaarlijvige regisseur een indiaan ervan te overtuigen binnen het blikveld van de camera te komen.

'Je ziel wordt niet gestolen,' zei de regisseur. 'Het is alleen techniek.'

De vertaler vertaalde, min of meer. Eerder had hij uitgelegd dat het woord techniek alleen te vertalen viel met iets wat wij magie zouden noemen, hij glimlachte er verontschuldigend bij: 'Dingen die uit zichzelf bewegen en de wereld opzuigen.'

De regisseur zei via de vertaler tegen de indiaan: 'Je ziel wordt niet gestolen, het zijn alleen maar dingen die uit zichzelf bewegen en de wereld opzuigen.'

De man antwoordde vanuit het donker. Zijn stem fladderde als een gevangen mus. De regisseur keek vragend naar de vertaler, maar die schudde zijn hoofd en keek naar zijn tenen. De filmmaker zweette hevig, zijn gezicht was rood en opgezwollen. Er krijste een insect.

De filmmaker zei: 'Natuurlijk wordt je ziel niet gestolen. Ik heb toch ook nog een ziel?'

De indiaan keek twijfelend.

'Wil je soms zeggen dat ik geen ziel meer heb?'

De tolk vertaalde, alsof woorden probleemloos van de ene taal in de andere konden worden gegoten, gedachten zomaar worden uitgesproken en begrepen. Er was een tijd waarin hij, Siegfried, dat voor zijn kinderen gedaan had, hun eerste halve woordjes afgemaakt, hun ongearticuleerde lettergrepen een geaccepteerde vorm gegeven, maar het was hem toen al niet bevallen.

Ismeen zat vlak naast hem op de bank, zo ver weg dat hij haar niet zou kunnen aanraken. Het was fysiek onmogelijk, er was iets tussen hen wat hem deed terugdeinzen. Ze had haar magere armen om haar knieën geslagen, een van de spaghettibandjes van haar hemdje zakte half af over haar schouder. Een paar keer had hij aanstalten gemaakt om ongedwongen een hand op haar schouder te leggen, dan schrok hij weer terug. Hij zei: 'Volgens Aristophanes waren mensen vroeger cirkelvormig en zeer sterk, met vier handen en twee gezichten, tot de goden bang van hen werden en hen in tweeën hakten, pats, zoals je een appel zou snijden. Nu zijn we op zoek naar onze andere helft, steeds op weg ergens heen. We zijn altijd bezig onszelf te vertalen voor anderen of anderen voor ons, we hunkeren.'

Ismeen deed haar best om haar verveelde pose te bewaren, slaagde daar niet in.

'Zoals Gone en ik?'

'Gone hoeft niemand te zoeken. Gone is in haar eentje al helemaal heel.'

Ze zwegen een tijdje, terwijl op het scherm de regisseur zich moeizaam door het oerwoud voortbewoog. De geluiden van de school krabbelden aan het raam van de werkkamer, leerlingen schreeuwden op het basketbalveld – een van de weinige activiteiten waarvoor ze vrijwillig nableven. Op Ismeens slapen parelden kleine zweetdruppeltjes. Het gebeurde niet vaak dat zij zo samen zaten en zelfs nu was zijn lichaam gespitst op het kleinste geluidje van de slapende Gone. Wanneer had Ismeen haar kinderlijf ingeruild voor deze gestalte die nog niet helemaal leek te passen, alsof ze een jas op de groei had gekocht?

Sinds Gones ziekte, zoals de artsen het noemden, was Ismeen langzaam maar zeker verdwenen naar de rand van zijn blikveld, misschien omdat ze domweg te normaal was om veel aandacht te vragen. Ze haalde hoge cijfers, maar compenseerde dat met vakken waar ze slecht in was; had niet veel vriendinnen, ook niet weinig en was voor zover hij wist nooit gepest, ook al betwijfelde hij of ze het hem zou vertellen als dat wel het geval was geweest. In de jaren na Gones val was ze min of meer onzichtbaar geworden, niet alleen voor hem maar ook voor anderen, zodat de balletjuf eens woedend opbelde om een verklaring te eisen voor Ismeens afwezigheid – voor Gones absentie was haar 'ziekte' een aannemelijke en dankbaar geaccepteerde verklaring –, terwijl achteraf bleek dat Ismeen, braaf als altijd, iedere les was geweest, haar armen had geheven en haar benen had gestrekt zonder ooit te worden opgemerkt.

'En ik dan?' vroeg ze nu, naar hem opkijkend.

'Jij moet op zoek, zoals wij allemaal, maar je zus niet. Dat maakt haar juist zo mooi.'

'Mooier dan mij?'

'Dan ik, Ismeen. Correct is: mooier dan ik.'

Ze had aan haar nagelriemen gepulkt en niets meer gezegd.

Op dat moment had hij iets anders moeten antwoorden, een ontkenning, vergoelijking, een bezwering. Hij had het die dag niet gekund. Hij had geprobeerd haar aan het lachen te maken, iets luchtigs te zeggen – 'Toen mensen nog cirkels waren rolden ze op hun vier handen en voeten om en om, dat deden ze als ze haast hadden' –, maar ze weigerde naar hem te lachen, was kort daarna de kamer uitgegaan en hij had zich vreemd verlaten gevoeld, alsof hij jonger was en kleiner dan zij. Op het scherm speelde de documentaire door, de regisseur trok steeds dieper het oerwoud in, werd mager en ziek en ook hij had het benauwd gekregen, was even bang dat zijn hart daar op die plek zou stoppen, zomaar. Nu nog steeds dat betrapte gevoel als Ismeen hem weer een geaccepteerd artikel mailt met als enig bijschrift *for your information*. De tijd van uitbarstingen is voorbij, maar de woede is gebleven en hij verdenkt haar ervan dat het hele onderzoek naar *wild children* een omslachtige manier is om hem duidelijk te maken dat ze liever geïsoleerd of in het wild was opgegroeid dan met hem als vader, 'FYI'.

'Neem Oedipus,' hernam hij zich ten slotte voor de klas. 'De man dacht dat hij de volledige controle had. Hij had het raadsel van de sfinx opgelost, was nota bene koning. En de goden laten hem. Ze laten hem denken dat hij de gelukkigste man op aarde is. Hybris! Hoogmoed tegen de goden.'

Het waren de kleine dingen die zijn zelfvertrouwen aanvraten. De tintelingen in zijn tong, een doof gevoel alsof er een vreemd en te groot voorwerp in zijn mond lag. Hij was bang dat hij zijn smaak verloor. Clarissa noemde hem een hypochonder als hij dat zei, maar het was de gedachte aan een volledig grijze wereld die hem angst inboezemde.

'En dan gaat het mis. De oogsten vergaan, er breken ziektes uit. En Oedipus is vastbesloten: hij zal dit oplossen. Want waarom zou hij dat niet kunnen? Hij heeft de sfinx al verslagen en de stad gered. Iedereen vertrouwt op hem. Iedereen kijkt naar hem.'

Zijn duizeligheid was sterker geworden en hij moest zich vast-grijpen aan de stalen rand van zijn bureau. Hij had ervan genoten, Oedipus, werd minder sterfelijk doordat iedereen zo op hem ver-trouwde. En tegenwoordig: koning George. Was dat alles wat zijn broer zocht, bewondering van een aanhang die niet wist te denken en dat ook helemaal niet wilde, liever oneliners vol scheldwoorden uitbraakte in getto's voor gelijkgestemden? *Panem et circenses*, nu de bekende wereld instortte verlangde het volk naar brood en spelen, maar hoe kon hij lesgeven in klassieke talen, laatste pilaar van de beschaving, terwijl zijn broer de risee van het land was?

Sinds George op tv zijn naam en beroep had genoemd – het was beschamend, hij had recht in de camera gekeken en gezwaaid als een kind, 'hallo broertje, halloo' – werd er gefluisterd in de gan-gen. Hij deed alsof hij het niet hoorde en als iemand hem zou dur-ven vragen of dat zijn broer was, dan zou hij het ontkennen. Het was hoe dan ook belachelijk dat zo iemand als George bewonderd werd, die daarvoor niet de juiste vorm had en ook nooit had gehad; dat intrinsiek morsige in zijn verschijning, dat had hij zelfs als kind al. Hij had iets hongerigs, niet zozeer in zijn ogen als wel in zijn houding, de manier waarop hij in hun richting voorover helde tot het punt van vallen, hongerig met zijn hele huid, behoeftig als een bedelaar, hoewel hij zelden werkelijk iets vroeg. Eén keer was hij hen als een straathond achternagelopen, helemaal tot aan de deur van de dansschool, en toen was mama begonnen te krijsen: 'Kleine rat! Stuk ongedierte!' Haar stem schoot uit en George stond daar maar, onbeweeglijk, en toen hij uiteindelijk terugliep deed hij dat zonder zich om te draaien. Hij was altijd te zwaar ge-weest en niet in staat om weg te komen.

Clarissa kon hun onverschilligheid nooit echt begrijpen, 'hij is toch je broer?' zou ze vragen en hij wist dat ze daarbij dacht aan de sterke armen van haar eigen broers, vrolijke lobbesachtige jon-gens die slager waren, loodgieter en kok, maar die hen niet meer thuis bezochten. 'Je maakt ze verlegen,' had Clarissa gezegd. Ze miste hen, dat wist hij, maar wat kon hij eraan doen – er was niets waar hij met hen over kon praten, ook niet als hij het gewild had. 'Het is anders,' zei hij dan, 'bij ons is dat anders.' Maar hij kon aan haar gezicht zien dat ze het niet begreep en elk jaar met kerst stelde ze voor George uit te nodigen, tot hij kwaad werd en zei dat ze zich er niet mee moest bemoeien. Ze sleepte de meisjes mee in haar fascinatie voor George, die ze nooit zagen en die hun nooit iets had gegeven behalve dan een duister silhouet, een schaduw om naar te verlangen. Alles wat hijzelf zou doen, alle verhalen die hij hun zou vertellen, alle keren dat hij hen 's avonds zou instoppen of 's ochtends met een verrassing wakker maken, zou kietelen of hoog boven zijn hoofd optillen, zouden hem nog gewoner maken, vanzelfsprekend aanwezig, en later zelfs een beetje zielig omdat hij zo wanhopig graag hun aandacht wilde hebben, terwijl George zich in zijn onbereikbaarheid zou blijven hullen en als de meisjes groter waren, zouden ze hem opzoeken omdat mysterie altijd aantrekt, zelfs zo'n lelijk en vet mysterie als zijn broer. Natuurlijk had hij zich voorgenomen om zich met zijn broer te verzoenen, ooit, maar er was nog zo veel tijd, en dan het idee om hem geregeld te moeten bellen en bezoeken, de stiltes die zeker zouden vallen en het ongemak.

'Oedipus,' zei hij met moeite, 'dacht dat hij alles begreep, alles kon besturen alsof hij zelf god was. Hybris! Overmoed tegen de goden gaat nooit onbestraft, of ging dat in die tijd niet – tegenwoordig is het natuurlijk allemaal anders. Nu worden we geacht, jullie ook, zelfs als je niet luistert en niets hebt geleerd, om ambitieus te zijn, naar de hemel te reiken, hoe noemen jullie dat, *dancing with the stars*? Toen kenden de mensen hun plaats nog, maar Oedipus –'

Yuri, zag Siegfried, tekende zeer gedetailleerd een magisch doolhof in de kantlijn van zijn schrift. Om de een of andere reden leek het hem belangrijk dat hij in dat doolhof kon kijken, zien hoe de met zwarte pen getekende gangen zich binnen ontrollen, verder en verder de duisternis ingaan. Hij boog zich voorover. 'Oedipus, die –' Het doolhof had grillige buitenmuren, scherpe hoeken; in de muren ervan zaten vensters, maar die waren niet licht maar juist zwarter getekend, gearceerd en opnieuw gearceerd om het licht naar binnen te zuigen.

'Hij denkt dat hij alles beheerst, hij vernietigt,' wist hij nog uit te brengen voor hij met een doffe klap op de grond viel en zo de eerste echt geïnteresseerde blik aan de klas ontlokte.

De schaamte. Het wakker worden met de kinderen in een kring om hem heen, ze staarden naar hem alsof hij een zeldzaam dier was. Niet onvriendelijk, maar dat maakte het erger. Het slappe handje van de rector, die erop stond om hem naar huis te sturen: 'Je bent tenslotte ook niet meer de jongste.'

*

Daarna was hij veranderd in een pakketje dat, gelabeld met verwijsbrief, van hand tot hand werd doorgegeven. Eerst de huisarts, een al wat oudere man die sigaren rookte en zei dat hij in al die jaren in zijn praktijk nog nooit een hersentumor had gezien. Meer voor de vorm dan uit echte bezorgdheid was hij vervolgens toch doorgestuurd naar de afdeling die ze in het ziekenhuis beeldvormende technieken noemden, apparaten die laag en doordringend zoemden, waar hij tussen werd geschoven alsof hij niet meer dan een plakje kaas was.

Dit ben ik dus, dacht hij toen hem het resultaat werd getoond, dit zijn mijn gedachten. Zo zie ik er diep vanbinnen uit.

Een vaag gevoel van teleurstelling.

Tegen alle redelijkheid in had hij gehoopt dat er aan zijn hersenen iets bijzonders te zien zou zijn, een homunculus of een vorm die daarop leek, tenminste een schaduw van het kleine mannetje dat zijn zelf was, zoals hij vroeger topografische kaarten bestudeerde om te zien of hij zijn huis erop kon terugvinden en in dat huis zijn moeder en hijzelf, gebogen over de kaart. Toen was het hem nooit gelukt.

Nu vonden de artsen wel wat, maar dat was iets kwaadaardigs, weefsel dat daar niet hoorde te zijn: in het binnenste van zijn wezen was hij niet, er was iets binnengedrongen en lang genoeg gegroeid om zelfs voor hem op de scan duidelijk zichtbaar te zijn. De arts had de boodschap aan hem overgebracht volgens protocol, een ballpoint tussen beide wijsvingers geklemd. Die evenwichtsoefening herinnerde Siegfried aan de manier waarop zijn dochters vroeger patronen maakten van postelastieken, hij concentreerde zich op de vlezige vingers en hoorde amper wat er gezegd werd over spijt, pijnbestrijding en niets meer kunnen doen. De uitdrukking van de arts was een echo van de vermoeide blikken die hij eerder boven witte jassen had gezien, toen ze daar nog voor Gone kwamen, die eindeloze, uitputtende odyssee van de ene arts naar de andere. Pas tijdens de stevige handdruk bij de deur – het 'sterkte' niet onverschillig uitgesproken, evenmin al te betrokken maar met doelbewuste sympathie, waarschijnlijk kregen ze daar les in –, pas toen bedacht hij dat hij iets belangrijks had gemist. Aarzeling op de drempel. Hij had omgekeken naar het bureau, de stoelen – zakelijke meubels, de zitting van zwart leer, de leuningen metaal, geen reden om hier lang te blijven zitten – stonden al netjes aangeschoven, klaar voor het volgende gesprek. De neiging om daar opnieuw te gaan zitten en het gesprek vanaf het eerste begin te hernemen, wat gezegd was terug te spoelen. Het nauwelijks verborgen ongeduld van de arts op wie ongetwijfeld al een volgende patiënt wachtte. Hij schudde de hand die hem was aangeboden en berustte: echt contact was niet de bedoeling. Nu nog vaak zweeft het nabeeld van de ballpoint voor zijn netvlies, vooral in de ochtend als hij wakker wordt en niet weet waar hij is, wat er met hem gebeurd is en waar Clarissa is gebleven.

Het was die haai geweest, de opengesperde bek van het dier, de dodelijke tanden waardoor hij het voor het eerst besefte: zonder hem zou Gone niet kunnen bestaan. Pas later, in het vliegtuig, had hij zich gerealiseerd hoe prachtig alles was geordend, hoe gruwelijk de tragedie zich over zijn leven zou ontvouwen. Hij leunde tegen het raampje, staarde naar de wolken buiten. Een wonder, dit vliegen: een daad van opperste hybris. De stewardess bood hem een kopje koffie aan en op dat moment, als op bevel, verdween het licht. Even dacht hij dat ze dreigden neer te storten, maar hij was de enige die schreeuwde. Ze hadden hem moeten helpen om het vliegtuig uit te komen. Ze was zo jong, de stewardess, ze zou zijn dochter kunnen zijn. Hij had tegen haar aan geleund, de zware lucht van haar parfum geroken toen ze hem overdroeg aan de mensen van het vliegveld. Bijna was hij in paniek geraakt, het trapje durfde hij niet af te gaan en hij wilde haar vragen om bij hem te blijven, nog even. Hij had de menselijke grenzen overschreden, het terrein van de goden betreden, zijn moeder verleid. Zijn dochter zou volgen, de rol spelen die haar was toebedeeld – hij had haar jaren eerder moeten redden, nog voordat ze bestond. 'Het is niets,' zei hij tegen de grondstewards die zich maar moeilijk lieten overtuigen, 'er is niets aan de hand, maakt u zich geen zorgen.' Hij kon weer zien. Alsof een zwart gordijn was neergelaten en weer opgetrokken, de waarheid – *aletheia* – van haar bedekking was ontdaan.

Ziek zijn tot op het punt van sterven is een karakterfout. Zijn zwakte maakt hem naakt: de slaphangende pijpen van de pyjama waaronder hij zijn oude mannenbenen weet, bleke schenen met spataderen en te donkere haren, de foetushouding waarin hij zich rolt zodra de verpleegster is verdwenen. Hij kan haar stem buitensluiten, al is het maar door met zijn vingers in zijn oren gedichten op te zeggen – 'Nou, nou, niet zo'n herrie, meneer Van Oort' –, maar hij is machteloos tegen haar blik. Hij vermoedt dat ze medelijdend naar hem kijkt als zij denkt dat hij het niet ziet, maar zeker weet hij het niet. Het zijn de banale zaken – reclameslogans, de merknaam op de toiletpot, de geur van citroen – die nu bij hem blijven, zich rond zijn bed verzamelen, 'het komt wel goed' zeggen, en alleen van die banale zaken kan hij die geruststelling verdragen.

Hij mist haar.

Seneca zou al lang zelfmoord hebben gepleegd.
Het zijn conclusies die in korte zinnen in zijn hoofd opkomen, kil en onontkoombaar, opflakkerende neonlichten. Misschien zijn geweten dat hem op de valreep nog probeert te redden. Of een symptoom van de tumor. Hallucinaties, zeiden de artsen, zijn in dit stadium normaal. Zijn gedachten zijn ongeordend alsof hij koorts heeft, in zijn redenaties volgen zinnen elkaar soms snel op, dan weer blijft het lange tijd stil, korte momenten van helderheid, een plotseling inzicht dat even later onbegrijpelijk en niet meer terug te halen blijkt. Wat als hij morgen overlijdt en Gone nooit meer ziet? Maar dat ze zich uitgerekend bij George voor het eerst in haar hele leven op haar gemak voelde, niet wegkroop, terwijl hij toch een vreemde voor haar was, ja, dat ze direct als een hondje achter hem aan liep. 'Ze voelt gewoon dat het familie is,' had Clarissa gezegd, met een verdacht triomfantelijke klank in haar stem.

Steeds vaker vraagt hij zich af wat er toch met de hond gebeurd is die ze vroeger hadden, Ed. Het beest had de vervelende gewoonte aan je kruis te snuffelen, niet zozeer opdringerig als wel belangstellend, oprecht geïnteresseerd, zoals sommige mensen – die vreselijke Trudy – met hun al even oprechte interesse alles boven tafel halen wat je niet wilt bespreken. Het was onbehaaglijk, herinnert hij zich, om daarnaar te moeten kijken, het ongegeneerd fysieke van die hond, hoe hij uitgebreid en in het volle zicht aan zijn achterste kon zitten likken. Hij herinnert zich niet meer wat er met het dier gebeurd is; op een dag was Ed zomaar verdwenen. Hij zal zestien geweest zijn toen, maar nu pas huilt hij er soms om, wanneer het donker is en hij niet kan slapen, overspoeld wordt door een bijna aangename droefheid met iets onheilspellends daarachter, zoals zwemmen in te diep, donker water. Hoe was het voor dat dier om zo te leven, samen met een soort die niet de zijne was, afhankelijk te zijn van wezens waarvan hij de manieren niet begreep? Nu hij niet meer voor zichzelf kan zorgen en voortdurend voor alles moet wachten op de verzorgsters – hij weet het, hij had aardiger tegen hen moeten zijn, niet zo hooghartig, want wat heeft hij nu nog om verwaand over te zijn en wat helpt het –, nu voelt hij diep medelijden met Ed, zijn altijd hoopvolle ogen en zijn afwachtend kwispelende staart, op elk moment bereid om met je mee te gaan, te doen wat jij ook maar zou willen. Zo'n zelfde houding had Gone ontwikkeld, haar lichaam iets naar voren overhellend, haar gezicht steeds naar hem opgeheven.

Vroeger stelde hij zich voor dat zijn dochters zelf zouden leren denken. Onafhankelijk moesten ze worden, bereid zichzelf te offeren voor welk doel dan ook, activisten. Ze zouden walvisvaarders aanvallen vanuit wiebelige rubberbootjes, halsoverkop naar een ver land vertrekken, alleen een briefje achterlatend dat ze de strijd – van wie dan ook – wel moesten steunen, kusjes en vaarwel. Hoe anders is het allemaal geworden, maar misschien moet hij blij zijn dat Gone hem zo niet ziet, dat George haar heeft meegenomen naar een plaats ver van zijn dood en zijn vergaan. Ze zal, dat is belangrijk, er niet door worden besmet. Ze zal niet, zoals hij, bang worden en niet meer kunnen bewegen, *want als men het huis van deze ongelukkige man binnenstapt zou men zeker niet verwachten een dichter aan te treffen die onbekommerd naast Plato langs de Ilyssus heeft gestruind.* Ja, Waiblinger wist het goed te vertellen, maar in het genot waarmee hij de ondergang van zijn vriend boekstaaft schemert zijn jaloezie door. Het heeft iets griezeligs triomfantelijks wanneer hij opmerkt dat Hölderlin niet in staat is zijn gedachte door te zetten, als een beginner of een slecht poëet die niet in staat is te articuleren wat hij zeggen wil, en onvoldoende meester is om zich zo sterk uit te drukken als hij voelt. *In-fant*: niet in staat om te spreken, kind. Zoals hij dat nu zelf lijkt te zijn geworden, onmondig.

Zoals Gone is, altijd zal blijven.

In de dagen na de geboorte vertelde iedere bezoeker dat hij de twee meisjes met geen mogelijkheid uit elkaar kon houden, maar dat was onzin. De tweeling leek niet méér op elkaar dan twee willekeurige jonge baby's nu eenmaal op elkaar lijken, en wie langer keek zag zelfs een duidelijk verschil: vlak na de geboorte was Ismeen kleiner dan Gone en maakte minder geluid. Maar zij was een baby uit het boekje, sliep hele nachten door, reageerde gepast op de volwassenen die zich over haar heen bogen. In zijn herinnering kraaide ze meteen al, strekte haar handjes uit naar het bezoek. Gone was norser: wanneer zij huilde klonk het woedend en wanhopig en soms had ze paniekaanvallen en krijste urenlang. Al snel was Gone magerder dan haar zus, omdat ze vaak de borst weigerde die haar werd aangeboden en ook visite die zich over haar wiegje boog deinsde snel terug en begon over Ismeen, hoe schattig ze lachte, hoe lief ze kraaide, oedipoedikoedipapa. Baby's die uit zichzelf weinig contact maken met volwassenen zullen minder aandacht krijgen, zodat ze zich verder terugtrekken en nog minder aandacht krijgen. De volwassenen die hieruit voortkomen zullen nooit zo succesvol zijn als hun medemensen die als baby wél glimlachten. Baby's van vijf dagen oud huilen al in de melodie van hun moedertaal en zullen geen andere taal ooit zo goed leren spreken als die eerste taal, die er eenvoudig altijd al was. Dat had hij allemaal gelezen.

Hij stond bij zijn dochters, keek van bovenaf op de wiegjes neer en tikte af en toe met zijn wijsvinger tegen de mobiel die erboven zweefde en in de wind zachtjes bewoog. Hij was te gehavend voor deze volmaakte kamer en voor deze kinderen die hij niet verdiende, met hun zachte huid, hun vingers die precies op die van poppen leken, hun heel kleine nageltjes. Hij zou hen moeten optillen en vasthouden, maar zijn hele lijf verzette zich daartegen, zijn huid had kippenvel, zijn maag stond op het punt van omkeren. Hij moest hun zekerheden bieden omdat hij hun vader was, ze moesten voelen dat hij er voor hen was en hen begreep. Hij moest leren alles wat ze zeiden, wat ze deden, wie ze waren te begrijpen, moest woorden zoeken voor hun opgekrulde neusjes en hun pluizig haar, moest hen zo goed beschrijven dat zij zich nog een baby zouden kunnen voelen als ze zelf al waren opgegroeid en zich ontpopt hadden, onverschillig verder gehold naar een nieuwe gedaante, een passender leeftijd, omdat ze nu eenmaal te jong waren om het stilstaan te waarderen.

Later moest hij hun de zekerheid kunnen verschaffen dat hun herinneringen accuraat waren, dat het licht in de kamer veranderde doordat de zon bewoog en de tijd verstreek, en dat er berenklauwen voor het raam stonden en fluitenkruid met witte bloemetjes. Hij zou hun moeten vertellen dat Clarissa deze kamer had geschilderd, geel, omdat ze nog niet wisten of er een jongetje of een meisje zou worden geboren en om diezelfde reden hadden ze ook gele wiegjes, 'schattig', zei de al te galante verkoper die hem aan Canetti's meneer Grof deed denken, 'beeldig, mevrouw, echte klasse'. Ze hadden niet naar Siegfried geluisterd, de verkoper en zijn vrouw die het verdacht goed met elkaar konden vinden, toen hij geel de kleur van de haat noemde, en van het vuur, van *yellow journalism*, de sensatiepers, een genre dat die naam op zijn beurt weer ontleende aan de gele kleur van het grote nachthemd van the *yellow kid*, de eerste werkelijk succesvolle stripfiguur met bijbehorende merchandising, New York aan het einde van de negentiende eeuw, en dat deze stripfiguur een ziekelijk bleek gettokind was met flaporen en een kaalgeschoren hoofd als na een luizenplaag en alle woorden die hij uitsprak in koeterwaals op zijn gigantische nachthemd gedrukt, en zijn naam niet alleen doorgaf aan de paparazzi, maar ook aan Joseph 'Yellow Kid' Weil, een zogeheten *con man* van *confidence man*, een ironische naam voor iemand die anderen bedriegt door hun vertrouwen te winnen en naar schatting meer dan acht miljoen dollar heeft gestolen, zonder enige gewetenswroeging omdat ook al zijn slachtoffers iets voor niets probeerden te krijgen, of voor zo weinig mogelijk, en blij waren dat zij de ander oplichtten terwijl hij feitelijk hen bedroog, omdat de mens nu eenmaal voor negenennegentig procent dier is en voor maar één enkele procent mens, maar juist die ene procent geeft de problemen, zoals Weil verkondigde terwijl hij het tegelijkertijd belangrijk vond om te benadrukken dat hij *Yellow Kid* als bijnaam had gekregen hoewel hij nooit geel droeg, geen gele handschoenen, vesten of slobkousen en zelfs geen blonde baard, die in het Engels immers ook *yellow* wordt genoemd, een kleur die zelfs deze gangster vermoeiend vond, alsof het dragen van geel een grotere misdaad was dan grootschalig oplichten, waar hij waarschijnlijk gelijk in had omdat oplichting een kwestie was van definitie, maar het dragen van geel niet. Maar ze luisterden niet naar hem en de wiegjes waren geel geverfd, geel als de muren die zij had geschilderd en de wespen, jaloezie, gevaar en haat.

Siegfried fluisterde Grieks dat als een kinderliedje klonk, *potamoisi toisin autoisin embainousin, hetera kai hetera hudata epirrei*. Hij fluisterde omdat zijn handen te groot waren en hij niet wist waar hij ze moest laten. Het was altijd Clarissa's droom geweest om kinderen te krijgen, maar het was niet gebeurd, en toen hij de huisarts zei dat hij de bof pas als tiener had gekregen, haalde de man zijn schouders op, 'niets aan te doen'. Het was een wonder dat hij nu twee dochters had, veel meer dan hij had mogen hopen, maar hij was bang dat zijn kinderen zouden voelen dat hij niets wist wat ertoe deed en niet voor hen kon zorgen. Ze waren nat en bloot, en hij wist niet wat hij moest doen. Ze krijsten en bleven maar krijsen met vertrokken gezicht en wijd open ogen, alsof ze keken naar iets wat alleen zij konden zien, en hij reciteerde verzen uit de *Ilias*, maar dat leek hen nog bozer te maken. Hij suste en wiegde, nam hen op zijn schouder en schudde ze zachtjes, maar het hielp niets en ten slotte werd hij bang dat ze kwaad op hem waren, om iets wat hij verkeerd moest hebben gedaan, een onrecht dat hij hun had aangedaan. Murw geslagen zakte hij tegen de gele muur naar beneden, liet ze schreeuwen, hij wachtte tot het over was en dacht aan zijn moeder, hoe kwaad ze kon worden op zijn vader, haar handen in haar zij, een furie. Het kon geen toeval zijn dat Clarissa tegen alle verwachtingen in toch zwanger was geworden vlak nadat zijn moeder was verdwenen, verbrand en over zee verstrooid.

Vroeger had ze hem geportretteerd in de verwarmde kas waar ze haar orchideeën kweekte en waar nooit iemand anders kwam. Ze had thee gezet en hem gezegd dat hij zijn overhemd moest uittrekken en niet mocht bewegen en hij had daar gezeten tussen de planten die op dieren leken en gekeken hoe het puntje van haar tong vochtig uit haar mond kwam als ze zich concentreerde op een detail. Ze was mooi wanneer ze schilderde, volledig op zichzelf geconcentreerd. In de portretten die ze van hem maakte herkende hij zichzelf maar toch ook niet, de blik in zijn ogen was anders op haar schilderijen, broeieriger. Soms stond hij voor de spiegel en oefende die blik, keek naar zichzelf zoals zijn moeder hem moest zien, hoe mager hij was en hoe lang. Ze zei dat hij een knappe man zou worden, 'je hebt nu al zulke verfijnde trekken', ze leunde graag op hem en volgde met haar vingers de contouren van zijn gezicht. Ze had het mis gehad, hij was niet lang geworden zoals zij had gehoopt: het was een trieste dag toen de schoolarts hem vertelde hoe klein hij zou blijven. Sommige onderdeurtjes waren die ene dag populair omdat bleek dat ze twee meter lang zouden worden, het was onmogelijk om je dat voor te stellen. Hij had haar niets durven zeggen, ze hoorde van een van de andere moeders dat de schoolarts was geweest en vroeg hem naar de schatting, 'wat voor man word je?', haar oplichtende ogen, hij had niet durven liegen en ze had zich afgewend.

Noli me tangere.

Die hele avond had hij geprobeerd het goed te maken, te zijn zoals ze hem graag zag, maar ze negeerde hem. Hij luisterde naar het geluid waarmee ze bestek in de la liet kletteren, ze was nog steeds kwaad, de Accountant trok een wenkbrauw op bij het lawaai: 'Kan dat niet zachter?' En Siegfried was naar de keuken gelopen en vlak achter haar gaan staan, testend tot waar ze hem toeliet en langzaam verzachtten haar schouders en kon hij weer ademen. Soms hoorde hij, nu nog steeds, plotseling haar stem in woorden die hij alleen toen vaak had gehoord, meestal namen van planten, 'hibiscus' en 'campanula', het was merkwaardig hoe ze zo huilerig, aanhalig, half mens kon zijn, maar dan weer met haar handen in de aarde al haar aandacht richtte op één kwijnende plant. 'Laat me niet alleen,' had ze gezegd, 'laat me niet hier waar alles steeds minder, steeds grauwer, steeds zieliger wordt.' Ze vroeg hem vaak om voor te lezen, als de Accountant er niet was – langzaam lazen ze zich door de dorpsbibliotheek heen, gingen van de Bouquetromans naar *A Streetcar Named Desire*, via *Medea* naar *Antigone* en *Mourning Becomes Electra*, het maakte haar niet uit zolang er gepassioneerde vrouwen in voorkwamen. Ze lagen zij aan zij op het tweepersoonsbed, haar arm om hem heen, ze zei 'ja, zo is het, ja', het was zo veilig geweest, zo beschermd.

Maar nu wist hij niet hoe hij zijn kinderen kon oppakken en aanraken, terwijl zoiets toch hoorde en van hem verwacht werd. Hij kon naar de wieg toe lopen om hen op te tillen, vastbesloten om hen tegen zich aan te drukken en dan haperde er iets en stokte hij in zijn beweging, bleef op vijftig centimeter afstand staan en keek naar zijn kinderen, hoe ze sliepen en kleine geluidjes maakten. Hoe kwetsbaar ze waren. Hij zou tegen hen praten in talen die ze niet verstonden, terwijl hij op afstand stond en ook de kinderen op afstand droeg, niet tegen zijn borst maar met gestrekte armen voor zich uit, omdat hij hun niets kon geven, hoogstens iets wat uit een fles kwam en alleen daarom al niet echt was. Hij was bang om ze pijn te doen, bang dat hij hen zou laten vallen, zoals je op een brug bang kunt worden van de neiging om je sleutels in het water onder je te gooien, of bij een afgrond het idee kunt hebben dat je er zo in zou springen, ook daarom was hij bang. Hij stond daar maar en keek naar de mobiel die langzaam heen en weer zwaaide boven zijn dochters, 'ik heb twee prachtige dochters', zei hij tegen zichzelf, en toen nogmaals omdat het zo onwerkelijk klonk, 'ik heb twee prachtige dochters', maar niet te hard omdat hij bang was dat Clarissa hem zou horen. Zo stond hij daar en de tijd viel in slaap in de zon van de middag.

Nu pas, nu het te laat is beseft hij dat het die momenten waren die hij had moeten onthouden, die onbeduidende momenten waarvan hij nu alleen nog de nasmaak en vage contouren waarneemt, het verlangen naar iets wat al in de verte is verdwenen, die momenten dat zijn moeder kinderliedjes voor hem zong, haar stem helder maar onzuiver, haar lach zacht, haar rok kreukelend onder zijn gewicht en de altijd wat stugge haren van zijn teddybeer, de pijp van de Accountant die lichtjes naar vanille rook, nu het al te laat is beseft hij dat en vraagt hij zich af of Gone de wereld zo waarneemt, luisterend, ademend, tastend en ziend van moment tot moment of dat ze bij gebrek aan woorden hulpeloos met lege handen staat, niet in staat om ook maar het kleinste vast te grijpen, te ketenen met namen. Ze is niet in staat de wereld in te perken, te begrenzen: haar geluk duurt eeuwig en is overal, haar pijn –

Hij weet niet wat ze denkt.

Dat besef is angstaanjagend: dat hij nooit zeker zal weten of ze werkelijk voelt op de manier die hij zich voorstelt. Fantaseren, van *phantazein*, zichtbaar maken, dat is wat hij gedaan heeft. Hij heeft haar gefantaseerd en nu pas beseft hij dat hij zich altijd heeft voorgesteld dat alles goed zou aflopen. Op een dag zou ze gewoon tevoorschijn komen uit haar zwijgen zoals mensen uit taarten stappen op het soort verjaardagen dat hij alleen uit boeken kent, op een dag zou ze stralend naar hem lachen en haar armen uitstrekken: 'Hier ben ik dan', en ze zou precies zo zijn geworden als hij hoopte, dat wil zeggen, heel anders dan hij.

Hij weet niet of ze begrijpt wat afscheid nemen is. Hij heeft haar nooit de woorden voor tijd willen leren, niet de betekenis van gisteren, morgen en vandaag willen uitleggen. Het is onmogelijk om haar het woord nooit nu nog te leren. Hij weet zelf niet wat dat betekent, *nooit*, er is altijd later, morgen of overmorgen of anders volgend jaar. Zelfs nu verdwijnen zijn laatste seconden terwijl hij wacht en hoopt, want het doet pijn dat ze niet naar hem omkijkt, hem niet tegen de dood beschermt. Het is te snel voorbijgegaan, of hij heeft alle waarschuwingen gemist: de dag waarop hij politieagenten voor het eerst als kleine jongetjes zag, de dag waarop hij een bekend gezicht begroette en zich toen hij een blanco blik terugkreeg realiseerde dat de bekende die hij dacht te zien inmiddels al veel ouder was en misschien al gestorven. Binnenkort zullen degenen die hem na staan zijn nabestaanden zijn – die woordspeling moet hij noteren –, degenen die na hem nog bestaan, die achter hem in de rij stonden en ook zonder hem wel elke dag een dagje ouder zullen worden, zoals dat gaat.

Toch is het verval niet onverwacht gekomen. Dagelijks als hij zich douchte – hij is altijd een man van hygiëne geweest en meer dan iets anders steekt het hem dat hij zich niet meer zelf kan wassen, andermans handen op zijn lijf zijn vies, zijn vreemd en alleen daarom vuil – kon hij zien hoe zijn lichaam langzaam verzakte, groter werd op plekken waar het klein had moeten blijven, gerimpeld waar het strak zou moeten zijn, futloos waar ooit vet (niet veel) en spieren waren. Kort geleden maakte hij zich nog druk over de levervlekken op zijn handen, zijn moeite bij het plassen, nu leert hij pas wat nooit betekent, niet ooit, de ontkenning van iedere mogelijkheid, de zinloosheid van elk streven. Het zou, zeiden de artsen, heel goed door de tumor kunnen komen dat hij zich niet kan concentreren op de arme Hölderlin, wat verwacht u dan, meneer Van Oort? Altijd praatten ze door vóór hij daar antwoord op kon geven.

Gone was niet erg gevallen, die keer met het ballet, of dat zei de huisarts tenminste, dat het niet erg was, niets aan de hand, zoen op haar hoofd en weer doorgaan. Toch zou Clarissa later de val blijven aanmerken als het moment waarop het misging, de breuk, de cesuur tussen ervoor en erna, maar misschien alleen omdat we breuken nodig hebben, en momenten die we kunnen aanwijzen en vastgrijpen. Beter dat dan een weefsel dat langzaam uiteenrafelt, beter een schok van mechanische oorzaak.

Ze hebben lange, verhitte gesprekken gevoerd, Clarissa en hij, 's avonds als de meisjes al in bed lagen. Clarissa zou nooit ruziën waar de kinderen bij waren, daarvoor was ze te gedisciplineerd. Ze beet op haar woede, bewaarde haar wrok als een mondvoorraad, was overdag opvallend aardig tegen hem, bijna beleefd. Soms ging hij op die dagen vóór het eten het huis uit in de hoop de ruzie te vermijden, maar dat was zinloos. Hij kon geen rust vinden wanneer hij zo over straat liep, wachtend op de ruzie die alsnog begon als hij uiteindelijk naar huis terugkeerde.

Toen Gone de taal begon te verliezen, niet lang na haar val van het podium, toen ze hen niet meer hoorde en langzaam van hen wegdreef, heeft hij geen woorden in haar hoofd gepompt, hoewel dat was wat de artsen aanbevolen, de artsen die met lege handen stonden en dat met hun opgeblazen termen probeerden te maskeren. Natuurlijk heeft hij gedaan alsof hij meewerkte en hoopte op haar herstel, hij heeft zijn gezicht vertrokken en zijn ogen neergeslagen alsof hij het werkelijk meende, hij heeft de zijdelingse blikken van Clarissa genegeerd, hij heeft het spel gespeeld en voor haar bestwil.

Alle kinderen verdwijnen.

Sommigen gaan dood, anderen laten zich nooit meer zien. De meesten worden gewoon volwassen.

Ze zeggen wel dat je kinderen krijgt om iets op deze wereld achter te laten, een beetje minder sterfelijk te zijn (en wat is dat, een béétje sterfelijk?). Maar als dat de hoop was – hij heeft het nooit zo voor zichzelf uitgesproken maar sluit niet uit dat een duister, vampiristisch instinct hem destijds heeft gedreven en niet alleen ten aanzien van de kinderen –, is het jammerlijk mislukt: vanaf de eerste dag al was hij bang. Bang voor de dag dat ze zouden beseffen dat hij niet almachtig was, bang voor de eerste keer dat ze hem zouden uitlachen. Bang voor het moment dat ze met hun vriendjes zouden thuiskomen, die hij natuurlijk niet zou mogen; voor als die vriendjes hun echtgenoten zouden worden, windbuilen van wie ze toch alles zouden geloven, die ze gelijk zouden geven ook als ze ongelijk hadden en met wie ze, nog veel later, zuchtend over hun bejaarde ouders zouden spreken en over de problemen die ze gaven, hij was bang. Natuurlijk zei hij niets tegen Clarissa. Ze zou hem hebben uitgelachen en kijk eens, ze had gelijk: hij zal het niet meer zien gebeuren. Ismeen zal trouwen met een bloedeloze academicus zoals die Peter van haar, zo'n man die op hemzelf lijkt en alles ingewikkeld weet te maken: hij zal woorden verzinnen voor dingen en daar weer andere, moeilijkere woorden voor, en zo stapelt hij woorden op elkaar en denkt hij dat hij iets bouwt terwijl de dingen verdwijnen, zo zal het gaan. Het spijt hem niet dat hij dat niet hoeft mee te maken.

Alle kinderen verdwijnen maar toch zelden zo abrupt, zo plotseling en pijnlijk als Gone. Eerst was er de doofheid, of dat waarvan ze dachten dat het doofheid was. Toen die val waarvan de artsen achteraf en pas veel later zeiden dat het, nee, niet de oorzaak, maar – inderdaad – een symptoom had kunnen zijn, zoals Clarissa volhield, diezelfde avond al, dat er iets mis was, ernstig mis was. Een *absence* noemden ze het, op zijn Frans uitgesproken, maar toen hij tijdens Het Grote Gesprek grapte *absence makes the heart grow fonder* keek de arts hem aan alsof hij zelf een kind was, verbaasd maar ook met iets van medelijden – misschien dacht hij dat Siegfried die grap maakte omdat hij het nieuws zo snel niet kon begrijpen, zoals Clarissa dat zei toen ze weer buiten stonden, 'ik snap het niet ik snap het niet ik snap het niet', alsof er iets te snappen viel, maar toch bleef ze dat zeggen. Hij wist niets beters dan haar een zakdoek te geven, hoewel ze helemaal niet huilde, en zo stonden ze samen voor de ingang van het ziekenhuis, zij met zijn geruite zakdoek in haar hand en achter hen ging de automatische schuifdeur steeds opnieuw open en dicht.

Maar voordat dat gesprek kwam, waren er al die andere artsen, hulpverleners en deskundigen, hun waarschuwingen en verwijten en beledigende opmerkingen. De avond van de val waren ze alleen gewaarschuwd om Gone geregeld wakker te maken, omdat er ongemerkt iets in haar hersenen zou kunnen bloeden, 'en dan ben je

haar zomaar kwijt', het was weekend en dus niet hun eigen huisarts, maar een of andere te jonge assistent op een post, en hij had
het mens wel door de telefoon heen willen trekken omdat ze zo
achteloos zo'n angstaanjagend beeld opriep, maar wat kon het
haar schelen. Hij had haar vriendelijk bedankt, verbeten, in het besef dat het belangrijk was om niet als hysterisch te worden be-
schouwd, en ze hadden haar wakker gemaakt, elk uur, een vreemde herbeleving van toen de meisjes nog veel kleiner waren en hoe
zacht ze ook deden, toch elke keer weer het schelle stemmetje van
Ismeen die overeind schoot in haar berenpyjama: 'Is ze dood, is ze
dood?'

Dat vindt hij misschien nog het vreemdst: dat ze die ochtend
vermoeid maar opgelucht naar elkaar hadden gelachen, toen de
kinderen tegen alle afspraken in om zes uur 's morgens hun slaapkamer kwamen binnenstuiteren, Gone even levendig als Ismeen,
dat ze ervan overtuigd waren geweest dat alles goed was, terwijl
die nacht de storm al door Gones hersenen had gewoed. Hij had
de tweeling elke avond voorgelezen – een kleuterversie van gese-
lecteerde stukken uit de *Odyssee*, de oorlogsverhalen uit de *Ilias*
zouden moeten wachten tot ze ouder waren – en hun verhalen verteld over goden en helden, hij had ze ingestopt en zijn duim op
Gones voorhoofd gelegd zoals ze dat graag wilde. Maar elke avond
was hij weggegaan en had hij haar achtergelaten, alleen in haar
hoofd waar, legden de artsen later uit, grote elektrische ladingen
werden afgevuurd zodat er kortsluiting ontstond. Het was, zeiden
ze, een storm die woedde in haar hersenen, en hij wilde hen corrigeren, zeggen dat ze hun metaforen niet zo door elkaar moesten
halen, hoe kon een mens hen zo begrijpen? Maar hun woorden
hadden zich al ingegraven en zonder dat hij het wilde zag hij
voortdurend Gone voor zich, alleen in een woestijn terwijl de wind
zand in haar ogen blies en haar dreigde weg te blazen, of erger,
Gones lijfje dat schokte en trilde, zoals bij de elektroshockbehan-
delingen die hij in films gezien had. Bij iedere storm, zeiden de
artsen, ging haar taalvermogen verder achteruit, verloor ze nog

meer woorden. Ze zou een tafel zien, maar niet meer weten dat het een tafel was. Of ze zou zich de klanken herinneren, maar niet meer op het woord kunnen komen en het ding wafel noemen, of rafel of iets wat helemaal niet bestond, een afel of een lafel. Misschien zouden de woorden op het puntje van haar tong blijven liggen, net buiten bereik. Misschien zou ze al haar begrippen verliezen en zelfs als er een hond blafte, een tram voorbijkwam zou ze niet meer weten wat die geluiden betekenden. Misschien zou ze ook niet meer non-verbaal kunnen communiceren, geen gezichtsuitdrukkingen meer kunnen lezen, of misschien zouden alleen de meest ingewikkelde emoties haar in het vervolg ontgaan, zoals schaamte en schuld. Dat was de eerste keer dat de gedachte bij hem opkwam die hij nooit zou kunnen uitspreken: wat heerlijk.

Als een boom alleen iets was wat danste als het waaide, en zelfs dat niet, want het had geen naam, er was geen woord voor dansen en de wind was alleen beweging tegen haar huid. Er was alleen de waarneming, zuiver en scherp, zonder ook maar een enkel woord dat daar zijn schaduw overheen zou laten vallen, zonder een taal die zou bepalen wat ze zag.

Natuurlijk zag hij wel dat Gone daar heel anders over dacht. De driftbuien namen in aantal en hevigheid toe naarmate ze meer taal verloor. Ze stampvoette en schreeuwde. Op sommige momenten kon hij aan haar gezicht zien dat ze boven een afgrond balanceerde, dat ze de woorden zocht om zich aan vast te houden maar ze niet vond, de woorden die er net nog waren om de wereld bij elkaar te houden, het begrip. Ze zocht ernaar als een blinde, haar handen voor zich uitgestrekt, struikelend. Ze waren weg.

★

'Die kans lopen we: dat de wallen der wereld, eensklaps vergruisd, in het eindeloos lege zich vluchtig verstrooien, dat dan ook de rest hun voorbeeld zal volgen. Dat het domein van de donder van bovenaf neerstort, de grond onder onze voeten ook plotseling wegvalt, dat onder alle fragmenten van hemel en

181

aarde alles wat ding is ontbindt en verdwijnt, verdwijnt in de te lege diepte.' Als hij alleen is prevelt hij het voor zich uit, want hij heeft altijd van Lucretius gehouden en het doet hem goed zijn eigen stem te horen: *'Dat in een enkel moment er niets meer bestaan blijft, niets dan de verlaten ruimte.'* Misschien is het een overblijfsel van zijn katholieke achtergrond dat hij nu toch de behoefte voelt om te gaan biechten, voor zijn dood zijn ziel te reinigen of anders, minder ambitieus, tenminste een poging te doen om zijn handen in onschuld te wassen. De verzorgsters zullen zeggen dat hij in zichzelf praat, ze zullen zeggen dat hij ijlt, zonder zich af te vragen hoe een tumor poëzie kan produceren. Het maakt niet uit wat ze zeggen: hij kan de lege diepte zien die steeds aantrekkelijker wordt en meer bij hem lijkt te gaan horen, meer dan de wereld van de levenden, Clarissa met haar al te opgewekte drukte of het perfectionisme van Ismeen. Uiteindelijk is het niet meer dan dat: een ruimte die hij moet verlaten, en hij is niet meer zo bang om te gaan slapen, maar alles loopt door elkaar heen.

De Accountant had hem willen wegsturen, zijn doorgaans onverschillige gezicht vertrokken van woede, bedacht zich toen en trok zijn riem los. Mama zat in haar peignoir in een hoekje van de kamer, keek, zei: 'O God, doe mij niets, ik heb het nooit gewild, die jongen.' Hij was zestien; het leek geen kwestie van houden van te zijn, wel van territorium dat hij niet had mogen betreden, maar wat wist hij ervan? Hij was een achterbakse viezerik, een gluiperd, ze zeiden: 'Dit vergeven we je nooit.' Hun woorden waren dieren, schaarden zich in een eindeloze rij achter elkaar en eisten één voor één te worden uitgesproken, zoals je ook een kudde niet kunt onderbreken wanneer die eenmaal begonnen is de weg over te steken. Er was de belofte van verlossing, van helderheid aan het eind, de overkant van het gesprek, maar die belofte werd nooit ingelost en hij vroeg zich niet af hoe het zo was gekomen, het zwiepende, daarna te zachte geluid als de riem neerkwam, de walging in hun ogen. Verrassend was alleen het unisono, het deed geen pijn.

Zijn moeder had altijd verlangd naar iets wat buiten het bereik lag van zijn vader, en misschien was het alleen een tijd die hij belichaamde, was hij alleen het stolsel van momenten die voor haar al lang voorbij waren. Veel later pas begreep hij werkelijk hoe zoiets wordt genoemd, en hij besloot dat het de woorden moesten zijn geweest die alles zwaar en onherroepelijk hadden gemaakt wat eerder vluchtig leek en bijna teer. Woorden hadden hen uit elkaar getrokken, prikkeldraad gespannen, onontkoombare grenzen vastgelegd. Wat hij niet begreep was hoe die woorden iets hadden gedefinieerd en ingekleurd wat hij zelf niet eens begreep, hoe ze het donkere, het roze hijgen hadden blootgelegd, maar de verwarring en de tederheid verborgen achter meedogenloos stenen geboden. Ze namen hem af wat er eerder was geweest, hoe bijzonder zijn moeder hem gemaakt had, een uitverkorene.

Siegfried sterft langzaam, sterft tergend traag. De ziel is al volledig verdwenen van zijn gezicht – een stevige verpleegster bet zijn slapen met een vochtig washandje, schudt meewarig haar hoofd en bedenkt opgelucht dat haar dienst er bijna opzit. Je kunt het aan ze zien, wanneer de dood uiteindelijk echt komt. Zij vergist zich nooit. Al denkt de familie honderd keer dat de man op het randje wankelt, zij weet dat het niet eerder voor het echie was. Nu wel. Zijn wangen zijn ingevallen, zijn ogen star. Zo kort voor het eind neemt de dood alvast een voorschot, verbergt de eigenheid van hun gezichten achter een masker dat iedereen gelijk maakt. *Saved by the bell*: het troosten van de huilende familie en het tijdrovende afleggen zullen niet op haar schouders neerkomen. Hoewel het nog nacht is, schuift ze bruusk de gordijnen open: 'Geniet straks nog maar een keertje van het zonnetje op uw gezicht, meneer Van Oort, geniet nog maar een keertje lekker!', en verlaat de kamer, haar witte klompen haast onhoorbaar op het kamerbreed tapijt. Siegfried kreunt.

Hij is bang om te slapen, bang om zijn ogen dicht te doen en zich te laten vallen in de armen van Hypnos, god van de slaap, omdat hij niet meer zeker weet of die val ooit nog stopt – terwijl dat vroeger zo vanzelfsprekend was, hij ging slapen en werd wakker, *ay, but to die, and go we know not where.* Hij wil niet sterven in zijn slaap, het zal hem niet gebeuren dat zijn leven wordt gerold alsof het een portemonnee is. Volgens het beleid mogen bewoners geen grote voorwerpen van huis meenemen, maar na enig aandringen was men bereid een uitzondering te maken – wie stervend is verdient wat goodwill. Clarissa bracht de oude klok van thuis mee, de hangklok die zich vroeger aan het einde van de gang bevond en die hij toen in zijn werkkamer kon horen. Siegfried hoorde haar hijgen en vervloekte zijn lijf, dat nutteloos en zwaar onder de dekens lag. Een bezoeker van een van zijn buren, het soort man dat op een golden retriever lijkt, hing het ding uiteindelijk voor haar aan de muur – 'Dat is aardig van die meneer, hè? Vind je dat ook niet ontzettend aardig?' –, hij deed alsof hij sliep. Hij had de tijd willen controleren, nu is hij ermee opgesloten. De ballpoint van de arts, wegtikkende seconden, zandloper in zijn geest. Hij stelt zich de dood voor als een ouderwetse stationsklok. Nog beweegt de wijzer zich, al is het moeizaam en met harde klikken, voort over de strepen die de tijd aangeven – op zeker moment, een goede of een kwade dag zal het ding blijven hangen, een vergeefse poging doen om de volgende streep te bereiken, kort trillen en dan definitief stilstaan. Nu pas weet hij wat hij wilde toen hij om de klok vroeg: hij moest vooraf het tijdstip kennen, hij moest die allerlaatste hapering zien aankomen.

Het zal niet lang meer duren voor Clarissa komt. Daar moet hij blij mee zijn, vertellen de verzorgsters hem, zo'n trouwe, toegewijde vrouw heeft niet iedereen. Ze bedoelen dat Clarissa hun werk uit handen neemt, dat zij hem wast en hem naar het toilet brengt, en op dezelfde toon tegen hem praat als zij. Toch kan hij niet ontkennen dat het prettig is als zij hem wast, voorzichtiger dan de verzorgsters en met meer respect, soms bijna bang om zijn huid aan te raken. Dat heeft ze nooit gezegd, hij kan het voelen aan haar handen, waaruit ze zich op die momenten teruggetrokken heeft, zoals je terugdeinst bij het horen van een vertrouwelijk gesprek dat niet voor jouw oren bestemd is. Hij weet zeker dat Clarissa zich haar leven altijd in pastelkleuren had voorgesteld: geluk in zachtgeel, liefde in zachtroze, zelfs ongeluk in niet meer dan zachtblauw, de meisjes gelukkig getrouwd en later met kinderen, hij wist dat ze zichzelf al toen hij haar ontmoette als grootmoeder kon zien, wijs en geliefd. De eenvoud van haar verwachtingen had hem aangetrokken, ook voor hemzelf onverwacht, de hoop allang voorbij.

Hij was verbaasd dat hij haar aansprak, die eerste keer op het terras, hoewel aanspreken een te groot woord was, de indruk wekte van een openingszin terwijl hij alleen op haar verzoek herhaalde wat hij in zichzelf gemompeld had. Hij was toen het soort man dat in restaurants met zijn rug naar de muur zat om niet verrast te kunnen worden. Vierendertig was hij en wantrouwend, erop voorbereid altijd alleen te blijven en al niet eenzaam meer, of niet zo dat het schrijnde. Sinds hij de hoop had opgegeven was alleen zijn bijna prettig; eenzaamheid bood geen vervulling, maar was aangenaam betrouwbaar gezelschap. Toen vroeg zij hem op dat terras wat hij gezegd had en hoewel hij in eerste instantie geërgerd was en alleen uit automatisme antwoordde, zag hij toen hij vanuit zijn zittende positie naar haar opkeek hoe ze in alles – dit nietszeggende baantje, de afgemeten beleefdheid tegen opdringerige klanten, haar zorg voor de verlepte salades – werd gedreven door verwachting, een vastberadenheid om waar dan ook geluk te vinden. 's Avonds zag hij haar terug in een bloemetjesjurk waarvan één bandje afzakte. Ze kreeg iets kwetsbaars door die blote schouder en de jurk die niet paste bij haar grootte, ze zei: 'Het is mijn eerste echte afspraakje.' Hij trakteerde haar op een diner in een veel te duur restaurant, deed zijn best de indruk te wekken dat hij daar een vaste klant was.

Ze aarzelde bij de menukaart: 'Heb jij wel eens kreeft gegeten?' Hoewel dat niet het geval was zei hij 'ja', de ober trok beleefd een wenkbrauw op.

'Ik heb geen idee hoe je zoiets moet eten.'

Hij overreedde haar om het toch te bestellen, ze giechelde. Hij mocht het nog levende dier voor haar aanwijzen, de kreeften hadden rode en blauwe bandjes om hun scharen, indrukwekkend prehistorisch, ingehouden agressief. Toen de ober het bord voor haar neerzette schoof ze een beetje achteruit, hief haar bestek om aan te geven hoe machteloos ze tegenover deze opgave stond – eerder al had ze niet geweten bij welke lepel ze moest beginnen, haar aarzeling was tastbaar. Hij had zich niet over haar heen gebogen om het dier voor haar te pellen, het zou te vaderlijk zijn geweest. Maar hij deed het haar voor bij zijn eigen kreeft, vermomde zijn gestuntel als komische aanwijzingen hoe ze het niet moest doen, verwijderde de harde rode schalen om het witte vlees te ontbloten. Hij was vierendertig, zij achttien. Het was net niet obsceen.

Zijn overwicht tijdens die avond had hem moed gegeven en hij vroeg haar mee – niet naar huis, dat zou een te grote verstoring zijn geweest, maar naar een klein en niet te duur hotel. De receptioniste was beleefd, hoewel haar gezicht haast onmerkbaar verstrakte toen hij om één kamer vroeg – Clarissa zag er jong uit voor haar toch al jonge leeftijd, ze giechelde toen ze de met tapijt beklede trap op slopen.

Eenmaal op de kamer had hij iets willen bestellen, maar hij kon zich er niet toe zetten om roomservice te bellen, wist niet hoe dat moest of wat hij kon verwachten en bleef in plaats daarvan maar uit het raam staren, met zijn rug naar Clarissa, die in de kamer rondscharrelde als een nieuwsgierig dier, kasten en lades opende. Hij verlangde er fysiek naar om te roken, hoewel hij dat nooit had gedaan. Maar het leek prettig om een sigaret in zijn hand te houden, de rook langzaam, nonchalant uit te blazen en het zou verklaren waarom hij daar bleef staan terwijl Clarissa's bewegingen vertraagden en een aarzelende ondertoon kregen en ze ten slotte, onvermijdelijk, vroeg 'kom je nog?', in een aandoenlijk verlegen poging tot verleiding. In het raam zag hij een deel van haar reflectie, wazig, transparant, en zij – gespannen – zag dat hij naar haar keek, hoe ze op haar rug op bed lag en het bandje van haar jurk losmaakte, één borst blootgaf, en hij moest een gevoel van walging onderdrukken terwijl zij naar hem glimlachte. Clarissa's borsten waren moederborsten, ook toen ze zelf nog een kind was, ze waren bleek en zacht en overvloedig, zoals alles aan haar groot en overvloedig was, aan haar en het gezin waar ze uit voortkwam, waar iedereen hard lachte en veel praatte en geruststellend normaal was. Het lukte hem niet om de juiste woorden, de goede toon te vinden voor haar broers, die zich erover verbaasden dat hij nog geen fietsband kon verwisselen. Ze gaven hem vriendelijke stompen die blauwe plekken achterlieten op zijn schouder. Haar vader, een timmerman, was niet zoveel ouder dan hij, bescheiden, al te aardig. Hij wist niet of de man hem een perverseling vond, of hij het hem verweet dat zijn enige dochter was meegenomen door iemand die zo duidelijk niet paste, maar als dat zo was zei hij niets, alleen later één keer zachtjes: 'Ze is zo stil geworden, dat was ze vroeger nooit', maar dat verwijt kwam harder aan dan een ruzie waarin hij zich had kunnen verweren en Siegfried staarde naar zijn handen en had niets kunnen zeggen.

Ze was verrukt geweest toen ze uiteindelijk, na weken, gezien had waar hij woonde, ze zei: 'Het huis van Hans en Grietje, wat een sprookje', en ze klapte in haar handen en hij kon zien hoe ze daar, op dat moment, haar leven vormgaf op die plaats, hoe ze haar kinderen zag spelen op het gras, volwassen worden voor die voordeur, hoe ze zichzelf zag in een schommelstoel, met een kleinkind op schoot. In haar ogen breidde de plek zich razendsnel uit, in haar toekomstplannen expandeerde het kleine, bakstenen huisje, werd het de plaats die haar gelukkig zou maken, en ze wendde zich naar hem toe, sloeg haar armen om hem heen, en hij dacht: het is net als in de film. Even geloofde hij het werkelijk.

Plaatsen worden kleiner wanneer je erop terugkijkt, ze worden kleiner en ze krijgen minder kleur, hoewel er nooit veel kleur was geweest in het dorp aan de zee, niet in de koude lucht, niet in het grijze landschap. De lucht was te zout en te bijtend, de wind was te hard, geen plek voor bloemen die zelfs binnen al doorschijnend leken en bijna gebroken. Zijn moeder hunkerde naar dat wat teer was en bijzonder, zo kwetsbaar dat het bijna niet kon bestaan. Maar, zei ze, de Accountant pinde vlinders achter glas, vlinders zoals zij zelf een vlinder was geweest, ooit, en ze zuchtte een beetje. Ze zei: 'Je moet goed begrijpen, Siegfried, je moet begrijpen dat ik niet met mijn vader kon praten. Ik heb dat nooit gekund. Het was een eenvoudige man, mijn vader, zuiver maar eenvoudig, een ambachtsman. Ooit was hij geïnteresseerd in dingen, in de wereld, in de kast stonden de boeken die hij vroeger las, ik heb hem nooit zien lezen. Hij heeft me nooit begrepen', en ze knoopte haar blouse los, strekte zich op de sofa uit en vroeg hem of hij wilde voorlezen, ze zei: 'Later zal ik je schilderen, later als je een man bent.'

Er was niets gebeurd. Geen bliksemschicht werd vanuit de hemel naar hem toe geworpen, zijn hart stond niet stil en ook de klok ging door met tikken. De boeken hadden toegekeken en niets in de verhalen was veranderd door de grens die hij, dat was toch zo, nu overschreden had. Het was zijn lichaam dat veranderde en plotseling een rol, al te veel ruimte opeiste. Plotseling leidde zijn lijf een eigen leven, werd rood en kloppend aanwezig en grover dan het eerder was geweest, minder van hem. Oncontroleerbaar was het vanaf toen, eerst al te levend, brandend onbescheiden, op ongelegen momenten, bij het avondeten, of op school. Er was een ordening doorbroken die niemand ooit had uitgelegd, een logica die te vanzelfsprekend was geweest om te benadrukken. Alleen met de hulp van dode letters wist hij zijn lijf in het gareel te dwingen, als een monnik of een kluizenaar beperkte hij zich tot toekijken en beschrijven, streefde ernaar om zijn bestaan tweedimensionaal te maken, zijn leven lijfloos. Zo zenuwachtig als hij desondanks was toen hij, begin twintig, voor de klas stond, die toen nog goed gevuld was.

Elke dag die kinderen te zien. Hun hoop, de vanzelfsprekendheid waarmee ze alles accepteerden, alsof het een gunst was om hun iets te mogen geven. En gelijk hadden ze, want op de zeldzame klasseavonden waar hij toezicht moest houden keek hij vanaf de kant bewonderend toe hoe de leerlingen hun bewegingen uitvoerden met hun lijf, hun benen en hun heupen, terwijl hij, toch ook nog jong toen, zich moest vasthouden aan het glas in zijn hand waarmee hij zijn ongemak probeerde te camoufleren. Zijn eigen armen hingen er altijd los en te zwaar bij, zijn benen reageerden houterig en te traag op de dictatoriale maar machteloze bevelen van zijn hoofd, in zijn onderbuik bewoog er niets – hij had zijn lichaam al te lang geleden verlaten. Hij wilde een hart tegen het zijne voelen bonken, een ritme dat hem verder dwong. Maar steeds opnieuw verloor hij zijn gevoel, verkilde en nam afstand. Van al die dingen – ritmes, harten, alles wat zijn onderbuik bewoog – raakte hij in paniek, maar hij wilde ze wel, hunkerde ernaar wanneer het donker was.

*

Terwijl hij sliep heeft iemand de televisie aangezet. Dat doen ze vaker, die verzorgsters, misschien denken ze dat het gepraat hem rustig houdt. Het maakt hem woedend. Dat ze op die manier over hem denken, en dat hij wordt gedwongen om te kijken – want probeer je aandacht maar eens af te wenden – naar de visuele incontinentie die op het scherm wordt vertoond. Het geluid van de tv maakt zijn dromen verward, terwijl hij daar in zijn laatste dagen toch recht op heeft, op ongestoord slapen om de overgang te vergemakkelijken. *To die, to sleep, perchance to dream.*

Vóór de val, voordat Gone haar woorden verloor, hadden de meisjes vaak exact dezelfde dromen, zelfs hun ogen bewogen in hetzelfde tempo heen en weer onder hun gesloten oogleden. Hij vond het prettig om naar hen te kijken als ze sliepen en hoewel hij dan steeds moest controleren of ze nog wel ademden was het toch veiliger dan overdag, wanneer ze wakker waren en soms plotseling hun ogen wijder openden en hem lange tijd recht bleven aankijken. Hij dacht dat ze hem konden doorzien op een manier die voor volwassenen onmogelijk zou zijn. Hij dacht dat ze oude zielen had den. Niet dat hij in reïncarnatie geloofde – geloofde hij daar maar in, hoe troostend zou nu het idee zijn van een ziel die schoongewassen terug op aarde komt –, nee, anders, primitiever en met minder hoop. Oud als de rotsen of de bergen, en even ongenaakbaar.

'Ze leeft als een dier,' vond Clarissa, 'hoe kan ze weten wie ze is als ze niet weet dat er een toekomst is? Hoe kan ze nou weten wie ze zou kunnen worden, of dát ze iemand moet worden?'

En daarna hatelijk, bijna onhoorbaar: 'Iemand die niet alleen maar op jouw schoot klimt.'

'Ze hoeft niemand te worden.'

'Ze moet veranderen. Ze is te oud hiervoor.'

'Ze is nog maar een kind.'

'Voor jou, ja.'

Clarissa vond haar eng. Dat zei ze niet en toch wist hij het, hij zag het aan de manier waarop ze met haar vingers wriemelde, hij hoorde het aan haar stem, net te luid en net te hoog. Soms begon Gone oorverdovend te gillen als ze de kamer binnenkwam en stopte pas als Clarissa wegging.

Wanneer dat gebeurde troostte hij zijn dochter.

Hij sloeg zijn armen om haar heen en wiegde haar, van voor naar achter en van links naar rechts, en haar hele lichaam schokte en ze wilde niet, maar hij wiegde haar en zij probeerde te slaan, zich los te worstelen, maar hij wiegde haar en hij streek over haar vuurrode haar, en dan begon ze vaak te huilen, en hij wiegde haar tot ze rustig werd, en kleiner, alsof al haar woede alleen maar een manier was om niet te hoeven huilen, maar ze huilde nu, en hij wiegde haar tot haar ademhaling even traag ging als de zijne.

Zolang hij zijn dochter troostte, negeerde hij zijn vrouw. Hij deed alsof hij het verwijt in de voor haar borst gekruiste armen niet zag, haar mond die was gekrompen tot een smalle streep. Ze was veranderd. De tijd had lijnen in haar gezicht gekerfd en haar kwetsbaar gemaakt, naakt in al haar bruuske bewegingen. Ze zei dat Gone expres schreeuwde als zij binnenkwam. Soms keek ze naar het meisje alsof ze een boosaardige vreemdeling, een wisselkind vermoedde.

Eén keer was hij vroeger thuisgekomen dan verwacht, onder het mom van migraine walgend weggelopen van een vergadering over targets en imago, en had Clarissa niet gevonden. Ze was niet beneden en ook toen hij 'ik ben thuis' riep kwam er geen reactie. Toen hoorde hij het geluid van de douche en er was iets in hem opgesprongen waarvan hij niet meer wist dat het nog leefde. Hij was de trap op geslopen en had heel zachtjes de deur van de badkamer geopend. Even dacht hij dat er niemand was omdat hij Clarissa niet zag op de hoogte waar hij haar verwachtte. Ze zat ineengedoken op de vloer, haar knieën opgetrokken en haar handen daaromheen geslagen. Het was onmogelijk om naar haar toe te gaan: hij voelde zich een insluiper. Hij had de deur weer dichtgedaan en was pas twee uur later teruggekomen, luidruchtig en overdreven vrolijk. Daarna durfde hij er niets over te zeggen, bang om iets in haar te openen wat hij niet meer zou kunnen sluiten, bang dat er iets zou veranderen. Maar ze was zorgzaam gebleven, zoals altijd, zoals ze ook nu, in zijn laatste dagen, zorgzaam was, terwijl hij voetje voor voetje voortschuifelde, een hand op haar arm, de andere aan de barre – had die stang in de verpleegtehuizen dezelfde naam als in de balletscholen, moest het moeizaam ondersteunde lopen van bejaarden niet met een ander woord worden omschreven dan het voorzichtig ontdekkende dansen van kleine meisjes?

Hij ziet nog het bolle buikje van Gone, het zwarte pakje dat ze per se wilde hebben, hoewel de kleding voor het kleuterballet voorgeschreven was: *roze balletpakje met rokje (Tiara E507C), roze maillotje (Le Papillon P6000) en roze balletschoentjes (Satijn PK-PA 1020). Haar in 2 knotjes. Gelieve geen ondergoed onder het balletpakje te dragen.* De wanhoop van de balletjuf – mager, kaarsrecht, bril altijd in het knotje boven op haar hoofd geplaatst – die nog geen afscheid had kunnen nemen van haar ambities en vastbesloten was de kleuters in een strakke choreografie te duwen. De grote uitvoering vond plaats in de provinciale schouwburg, wat zowel de opwinding onder de meisjes als het lesgeld voor de balletschool sterk verhoogde. Altijd was Gone net iets later of stond ze omgekeerd, hief een been als ze haar arm had moeten optillen en vice versa, maar anders dan haar medeleerlingen keek ze steeds breeduit lachend naar de zaal. Om hem heen hoorde hij hoe ook de andere ouders over haar fluisterden: 'Wat een schatje, een theaterdier, dat zie je zo.'

'Ze zijn bang dat ze doof is, dat zou je zo toch helemaal niet zeggen? Maar ze zijn bezig met onderzoeken, ik hoorde het van Marjan.'

'Wat erg voor die ouders.'

'Sst, ze zitten daar.'

Toen hij opzij keek zag hij Clarissa's kaken verstrakken. Ze rechtte haar rug en stak haar kin naar voren. Op deze dag wilde ze niet worden herinnerd aan hun zorgen over Gone, die soms van het ene op het andere moment niets meer leek te horen.

'Oost-Indisch doof,' had Clarissa gezegd en: 'Jongedame, als je nu nog niet luistert', en: 'Moet ik je soms komen halen? Ik tel tot drie: één... twee... drie.'

Maar boos worden had niet geholpen en toen had ook de juffrouw gezegd dat hun dochter niet luisterde, in tegenstelling tot Ismeen – de meisjes zaten toen nog in dezelfde klas, pas later zouden ze gescheiden worden omdat dat beter voor een tweeling scheen te zijn, hun meer kans bood om zich los te maken uit de symbiose en zelf een persoon te worden. Clarissa mocht de juf niet, die ouders graag behandelde alsof zij ook nog kleuters waren, maar ze kon niet tegen haar op, en dus hadden ze Gone braaf de medische molen in gestuurd. Ze waren met haar van de huisarts naar de oorarts gegaan, maar het enige wat alle onderzoeken hadden opgeleverd waren de gekleurde pleisters die Gone van de receptioniste had gekregen.

Niet doof dus, maar ze gehoorzaamde ook niet. Een vaderskindje. Het vleide hem dat alleen zijn stem Gone uit haar concentratie kon halen, hoewel hij tegen zichzelf zei – en tegen Clarissa –

dat het daar natuurlijk niet om ging, hun dochter was geen hond over wiens aandacht je kon ruziën, en kinderen veranderen, trekken eerst naar de ene ouder en dan weer naar de ander. Maar hij geloofde zichzelf niet. Hij was bang voor het moment dat zijn dochters zouden veranderen in de kinderen die hij dagelijks voor zich zag, de pubers die alleen maar Latijn volgden omdat ze dan met school naar Rome konden, die geslachtsdelen in hun schriften tekenden als hij iets wilde uitleggen en hem ijskoud uitlachten wanneer hij kwaad werd. Op die momenten dacht hij aan de manier waarop Gone naar hem luisterde, en alleen het beeld van haar opgeheven gezicht hielp hem om de dag door te komen, van het eerste tot het laatste, eindeloze lesuur, en ook de vergaderingen met collega's die over de vakantie praatten, hun hypotheek en nieuwe auto.

Maar 's avonds, als de kinderen in bed lagen, stortte Clarissa in. Hij kon het zien gebeuren terwijl ze tegenover hem zat, hoe van de ene op de andere seconde haar hele gezicht uiteenviel: 'Ik weet niet meer wat ik moet doen.'

'Het is een fase.'

'Ik weet echt niet wat ik verkeerd doe.'

Thuis had hij vanuit de deurpost gezien hoe ze lipstick opdeed voor de grote spiegel in hun slaapkamer. Ze had haar lippen getuit en keurend naar haar eigen profiel gekeken, haar rok gladgestreken. Het had iets pijnlijks om te zien hoe zorgvuldig ze zich opmaakte voor dit zeldzame uitje, hoe ook zij, die toch nog jong was, onmiskenbaar ouder werd, met fuchsiakleurige lippenstift de groeven in haar lippen hoopte te camoufleren.

'Doof, jeetje,' ging het mens achter hen door.

Nu moest Clarissa zijn blik wel voelen, maar ze weigerde naar hem te kijken. Hij legde een hand op haar schouder en ook daar reageerde ze niet op, haar ogen bleven strak gericht op de meisjes op het podium en plotseling leek ook zijn eigen glimlach meer gemaakt. Toch liet hij zijn hand liggen en keek naar zijn dochter, de enige die opviel.

De meisjes moesten fladderende vlinders voorstellen en gooiden met overgave hun armen en benen in de lucht, ze leken op kalveren vroeg in de lente. Hij probeerde Gone te dwingen om naar hem te kijken, meer dan wat ook verlangde hij ernaar deel uit te maken van haar dans. Hoewel zij hem onmogelijk kon zien moest ze zijn ogen door de zaal heen op haar huid hebben gevoeld, ze stokte abrupt.

Ze keek naar hem.

De meisjes in de rij achter haar schrokken van de onverwachte stop en vielen half over elkaar heen, verspreidden zich toen in een ongeordende zwerm over het podium. De bazigsten, of degenen die het best waren in ballet, trokken aan hun mededanseressen, sisten en fluisterden, probeerden door te gaan alsof er niets gebeurd was. Maar ze konden de ingestudeerde patronen niet volhouden, moesten om of over Gone heen. Ze stond stokstijf midden op het podium, haar ogen wijd opengesperd. Eeuwenlang stond ze zo stil, toen strekte ze heel langzaam haar armen uit en begon te draaien, eerst traag en toen steeds sneller. Haar bewegingen hadden niets te maken met de muziek, ze draaide. Ze draaide tot ze haar eigen bewegingen niet meer kon controleren, gegrepen door de centrifugale kracht, ze draaide als een tol, alsof er niemand in haar lichaam zat.

Hij keek.

Ze draaide over het hele podium terwijl Ismeen weifelend toekeek, ongetwijfeld wachtend op instructies van haar zus. Toen die uitbleven bewoog ze braaf mee met de anderen, een uitdrukking van ingespannen ernst op haar gezicht, die zelfs niet verdween als ze een klap ontving van Gones armen. Gone draaide. Om hen heen was het gefluister gegroeid – vonden de andere ouders het eerst nog schattig, inmiddels noemden ze het aandachttrekkerij: 'Zoiets moet toch niet kunnen, kan er niet iemand ingrijpen, ze verpest het voor de rest.' Ze draaide, sneller en sneller draaide ze. Ze had niets kinderlijks meer, of juist iets wat méér kinderlijk was dan hij ooit in iemand had gezien, iets wat mooier was en ongerept, ze leek zich niet bewust van haar omgeving en de tijd, het was bijna iets dierlijks. Hij wilde dat ze eeuwig zo zou blijven draaien. Hij had willen opstaan om haar beter te zien, hij had willen applaudisseren, maar dat zou de betovering verbreken, ze draaide. Hij stelde zich voor wat Gone vanaf het podium zou zien: tijdelijke verblinding door de felle lampen dicht bij het podium, daarachter de zaal een warm en donker gat, een baarmoeder. Opgesloten in die rode baarmoeder keek hij, keek de vader naar zijn dochter, het middelpunt, ze draaide. Achter de coulissen moest de balletjuf zich staan te verbijten, maar de vrouw kwam uit principe het podium niet op – 'Denk niet dat ik jullie kom redden,' had ze vooraf gezegd, 'wat er ook gebeurt, de show must go on' –, en Gone draaide met gestrekte armen, het zorgvuldig vastgezette knotje losgeraakt zodat haar lange, rode haar nu wijd om haar hoofd zweefde. Naast hem beet Clarissa zenuwachtig op haar lippen, ze smakte als ze dat deed, Gone draaide. De muziek was inmiddels gestopt, de overige ballerina's waren in groepjes verspreid op het podium blijven staan, onzeker wat te doen, mechanische poppetjes die iemand niet had opgewonden, daar achterin deed Ismeen pogingen om onopvallend in de coulissen te verdwijnen, ze maakte onmiskenbaar een verloren indruk, hier en daar begon iemand te klappen. De schijnwerper scheen op Gones haar, het geklap zwelde aan. Het was geen ovatie maar een aansporing om weg te gaan, steeds ongeduldiger klapten de ouders, steeds sneller draaide Gone en het was een wonder dat ze nog altijd niet gevallen was, haar mollige beentjes wankelend over de lichtstrips op het podium, 'ze is doof', hoorde hij achter zich, 'dan hoort ze hier niet thuis, spijt me dat ik het zeg', maar ze is niet doof, ze draait en de schouwburggordijnen zijn van rood fluweel en zacht, dat soort rood glanzende warmte, als je dat soort warmte ergens zou kunnen vasthouden en het sierlijke verguldsel van de loges en het licht dat als water op het podium valt, ze draait, Clarissa wringt haar handen en Ismeen is verdwenen maar zij draait en draait en valt

in de orkestbak. En plotseling loopt de tijd weer, de tikkende ballpoint van de arts, Siegfried tast met zijn vingers naar het glas dat hij op zijn nachtkastje vermoedt, stoot zich, vloekt, langs de laatjes druipt het water naar beneden, het glas rolt langzaam, weifelend nog even door over het hout, valt dan ook, bijna geluidloos op de vloerbedekking, soms denkt hij dat er ergens iemand schreeuwt. Sterven is krijsen wat hij te zeggen heeft, wat het ook is, wat hij zelf niet eens weet. Maar het lukt hem niet om iemand aan te roepen; hij kent de woorden, de formules en de aanspreekvormen niet. Hij heeft te lang gewacht om die taal nu nog te kunnen leren, heeft trouwens altijd al meer gezien in de grillige menselijkheid van Griekse goden dan in nieuwtestamentische heiligheid. Soms droomt hij van liefde, van Aphrodite zoals Lewis haar beschreef: een pikzwarte steen in een donkere grot, een steen zonder armen, unarmed maar zeer machtig. Hij droomt dat die steen hem verplettert en wordt zwetend wakker: tegenwoordig is zelfs het laken te zwaar voor zijn lichaam, dat hem eindelijk laat zien wie de baas is, waar het werkelijk om draait en dat dat niet zijn woorden zijn. Hij had zijn handen moeten trainen om te voelen. Hij heeft zich gewijd aan dode letters terwijl hij broden had kunnen bakken, dekens had kunnen maken, of desnoods violen. Iets wat mensen zou verwarmen, beschermen of ontroeren. Als hij iets had moeten leren, was het aanraken geweest. Hij heeft nooit piano leren spelen. Hij had geen virtuoos hoeven worden, maar hij zou graag in staat geweest zijn om één stuk te spelen, om de klep van het instrument zachtjes open te slaan en zijn handen automatisch hun weg te laten zoeken. Handen die pianospelen zijn per definitie prachtig, zoals handen die roken, de gracieuze beweging van vingers die de klank of vlam tevoorschijn roepen en beschermen, één muziekstuk maar met een beetje tederheid, wat melancholie en voorzichtige vreugde. Hij herinnert zich de zoute lucht van de zee, zwermen dansende muggen, hoe de bomen in de lente plotseling vol bloesems zijn en hoe de lucht dan ruikt en koud is na het zwemmen, de zoete geur van de tweeling en hun zachtheid, de stevige stof van hun bloemetjesjurken, het gerinkel van trambellen, het loodgrijze zeepbakje in de badkamer, de alarmroep van een merel, de wil om te kunnen vliegen, de tikkende ballpoint van de arts.

Dan gaat de telefoon.

Hij neemt niet op, hij kan zich niet bewegen en verwacht niemand, alleen Gone zou hij nu nog willen zien en hoe zou zij hem kunnen bellen. Maar de telefoon blijft overgaan en na enige tijd komt een verzorgster binnen die op haar irritant vrolijke toon 'Telefoon, meneer Van Oort' galmt, het apparaat op de speaker zet en de kamer verlaat.

'Hallo, Sieg,' zegt George. 'Hoe gaat het?'

Siegfried antwoordt niet. Hij kijkt naar het scherm boven zijn bed, dat een villa toont met een woedende menigte ervoor. *Panem et circenses.*

'Ik heb haar gered.' George' stem klinkt hees. 'Ze gaat weer eten.'

Vaag herinnert hij zich iets over de meisjes, dat Clarissa zich zorgen maakte omdat ze de laatste dagen niet hadden willen eten, maar hij begrijpt niet wat dat met George te maken heeft, hoe hij er ook maar iets van weet, zo'n koppigheid, zo'n kindergril.

'Ze brengen haar naar het ziekenhuis, alles komt goed. Siegfried?'

Het is te laat.

Zijn lichaam is te broos om Gone nog te kunnen vasthouden, te breekbaar om haar nog te wiegen, hoewel zij vroeger graag op bed klom en dan dicht tegen hem aan lag, zijn koude lijf en zijn te zware hoofd verwarmde. Er was nooit iets te zien, nooit te zien dat er iets misging, hoe vaak hij 's nachts ook bij haar bed kwam kijken: ze sliep en ademde rustig, zelfs haar oogleden trilden nauwelijks, en de mobiel boven haar bed schommelde rustig in de wind die door het open raam naar binnen kwam. Hij had de kamer zelf ge-

verfd en ingericht, hoewel hij twee linkerhanden had, de gele babykamer overgeschilderd in diep donkerblauw, op het plafond de
sterrenbeelden en de boekenkasten langs de muren. Het gaf niet
dat die nauwelijks gevuld waren, dat Ismeens pluchen vis, haar
hond en de gebreide kat gebroederlijk naast Romulus en Remus
stonden en dat de arme Martialis half verdween onder de gigantische panter die hij ooit voor Gone op de kermis had geschoten,
een wonder was dat geweest dat hij tot verdriet van Ismeen niet
had weten te herhalen. Na dertien keer proberen had hij dat ook
zelf ingezien en had hij de kermisman omgekocht voor nog zo'n
beest, een even grote leeuw in even vreselijke kleuren, terwijl Clarissa de tweeling op een suikerspin trakteerde. Tijdens dat soort
avonden, de zeldzame momenten dat hij zo gelukkig was dat het
pijn deed in zijn borstkas, begreep hij zijn moeder het best, haar
intense verlangen naar iets wat buiten haar bereik lag. Ooit geloofden de Amerikanen dat je dood kon gaan aan nostalgie, de onmogelijkheid om thuis te komen, het verlangen naar een gestokte tijd
en een bevroren wereld, niet anders bij thuiskomst dan wanneer je
wegging, niet alleen de plek maar ook de manier waarop je ernaar
kijkt nog onveranderd.

Hij had zich opmerkelijk goed gevoeld die avond, als iemand in
een film. Waarschijnlijk was het de muziek, die bonkte als een
hartslag, of de lichten die van kleur bleven veranderen en hem
draaierig maakten, waardoor er plotseling niets vast leek te staan.
Het leek hem plotseling of hij dit leven korte tijd van iemand anders leende en hij had de panter geschoten, hoewel hij er niet de
man naar was om op dieren te schieten, zelfs niet als ze van pluche
waren en het maar een spelletje was, in dat soort rechtvaardigin-
gen had hij nooit geloofd. Toch had hij, lacherig, plotseling over-
moedig, op Clarissa's aansporingen gereageerd en het geweer gepakt, was voor één keer de man geworden op wie zij – dat wist hij,
ook al zou ze het nooit zeggen – hoopte, iemand die op haar
broers leek en in één keer raak schoot en de tweeling in verrukking
bracht, voor even, en toen hij de panter overhandigd kreeg was dat

een echte buit, begreep hij plotseling iets van die mensen die op blote voeten door de stad rennen. Even leek alles op zijn plek te vallen, was het genoeg dat hier zijn dochters waren, zijn eigen vlees en bloed en meer was er niet nodig, want alles was er al. Later ging hij met Clarissa in de octopus, draaimolen voor volwassenen, en ze was zachter dan hij haar in lange tijd gezien had. De lichten van de kermis vlogen over haar gezicht wanneer hun bakje omhoogging en zij legde haar hoofd tegen zijn schouder, zomaar, alsof zo'n gebaar nog iets vanzelfsprekends was tussen hen tweeën, en hij voelde een diepe dankbaarheid die hem dreigde te overspoelen en verstarde, het zou niet zo blijven als het was.

Inhoud